기후정치를 고민하는
히치하이커를 위한 안내서

기후정치 현장 인터뷰집

들어가는 글

기후정치클럽이라는 거창한 이름에 비해 클럽 멤버는 단 둘뿐이다. 처음에는 이름에 걸맞게 기후정치를 고민하고 토론하고 함께 만들어 갈 수 있는 근사한 판을 열고 싶었다. 그러나 무엇부터 시작하면 좋을지 막막했다. 동료를 한 자리에 불러 모으고 싶었지만 두 사람의 역량으로는 부족했다. 한국의 정치 현실과 기후위기를 연결 지으면 사이다 없이 고구마만 한 트럭 삼킨 것처럼 답답했다.

한 정당에서 선거 운동을 하다가 동료로 만난 우리는 일단 할 수 있는 것을 무작정 찾아 시작해 보기로 했다. 무엇보다 빠르게 변화하는 한국의 기후 운동 지형을 이해하는 게 우선이었다. 논문과 책, 각종 토론문과 자료집을 찾아 읽고 정기적으로 이야기를 나눴다.

기후 불평등과 기후위기의 심각성에 대한 인식은 점차 높아지고 있다. 2019년 국내 최초의 기후위기에 맞선 대규모 시민행동 이후 매년 기후 행진과 기후 파업이 이어지고, 목소리를 내는 주체도 다양해졌다. 하지만 이런 움직임이 실질적인 제도와 정책 개선, 구체적인 변화를 도모하는 제도 정치까지 당장 연결되기는 요원해 보인다. 게다가 기후위기는 다뤄지는 방식에 있어서 과학적인 수치나 현황, 전문적인 용어에 압도되기 쉬운 의제이다. 단기간에 변화를 목격하고 체감하기 어렵다는 측면에서 무력감이나 기후 우울감으로 빠져들기도 한다.

이 작업은 기후위기와 관련한 사회 운동과 정당 운동의 동향을 개인 차원에서 손쉽게 파악하기 어렵다는 문제의식 속에서 탄생했다. 기후정치라는 막연하고 추상적인 영역의 고민을 구체화하기 위해 인터뷰를 통해 현재 기후위기를 둘러싼 다양한 활동 주체의 관점과 방향성, 논쟁 지점과 화두를 담았다.

1부에서는 기후 운동의 주요한 주체로 등장한 청소년기후행동, 비폭력 시민 불복종 운동을 전략으로 삼은 멸종반란한국, 기후위기비상행동이라는 연대체에서 역할을 도맡았던 녹색연합과 새로이 등장한 기후정의운동 연대체인 체제전환을 위한 기후정의동맹, 기후위기 시대에 종교의 역할을 고민하는 기후위기기독인연대까지 한국 사회에서 기후 운동을 전개하고 있는 단체의 활동 흐름을 소개하고, '기후정치를 위한 진단'을 공통으로 물었다. 2부에서는 기후위기와 관련해 정당 운동적 관점에서 활동을 이어가고 있는 녹색당, 정의당, 노동당, 진보당의 활동가를 만나 기후정치라는 씨앗이 각기 어떻게 다른 모양인지, 우리는 어떻게 물을 주고 함께 가꿀 수 있는지에 관한 고민을 기록했다.

기후위기는 현재 진행형이다. 이 기록 역시 한 공간을 바탕으로 현재 진행되고 있는 논의의 일부만을 포착하고 있다. 어디에서부터 어떻게 시작하면 좋을지 막막함을 느끼고 있는 분들께 먼저 고민을 시작한 이들의 생생한 목소리를 전한다. 멤버가 고작 둘 뿐인 정체불명의 클럽이 제안한 인터뷰에 9명의 활동가 모두 주저함 없이 만남을 수락했고, 흔쾌히 고민을 나눠줬다. 그들이 공유해 준, 어디에서도 들을 수 없던 귀한 이야기가 기후위기 시대를 살아가고 있는 동료 시민에게 작은 나침판이 될 수 있다면 좋겠다. 울퉁불퉁하게 읽히는 구간이 있다면 어디까지나 기록자의 불찰이다. 마음이 동하는 쪽이 어디든 궁리하고 상상하고 도모하기를 멈추지 않았으면 좋겠다.

01

02

01

기후위기는 더 이상 정치적 중립성을 가질 수 없는 문제이다

"우리는 '성공한' 과학자나 정치인이 된 후에
비로소 문제를 해결하려고 하는 대신,
지금 여기서 변화를 만들 것입니다."

출처. 청소년기후행동 홈페이지

김보림 김서경

청소년기후행동 활동가

2018년 기후위기를 고민하던 5명의 청(소)년이 만났다. '청소년인 우리가 기후위기를 막기 위해 할 수 있는 게 있을까'라는 고민은 '청소년인 우리를 대변해 주는 사람은 없다[1]'는 생각으로 확고해졌다. 이듬해인 2019년 같은 생각을 가진 사람들이 점차 합류하면서 '청소년기후행동(이하 청기행)'이라는 이름으로 '기후를 위한 결석 시위'를 조직하기에 이른다. 그렇게 정부와 정치권을 향해 적극적인 기후위기 대응을 외치는 청소년의 목소리가 터져 나왔다.

"멈추라고 입으로만 말하면 기후위기가 멈춰?" 청기행은 실질적인 변화를 만드는 데 주목한다. 2018년 5월 기후위기에 대응하는 교육 시스템 전반의 전환을 요구하며 서울시 교육감에게 '멸종 위기종 청소년들의 요구 사항'을 전했고, 결국 서울시 교육청의 탈석탄 금고 선언[2]과 '2020년 생태전환중장기계획안'을 끌어냈다. 2020년 3월에는 19명의 청소년과 함께

---

1 "외면은 그만, 이제는 직면할 시간", 청소년기후행동, <우리의 목소리를 공부하라>, 교육공동체 벗, 2020

2 교육청이 4년마다 금융기관을 선택할 때, '탈석탄 투자'를 선언한 은행을 우대하는 것을 뜻한다. '탈석탄 투자'는 국내외 석탄발전 관련 투자에 참여하지 않는 것을 의미한다. 2020년 초 서울시 교육청은 탈석탄 투자를 선언한 은행을 우대하겠다고 밝혔으나, 최종적으로는 국내 석탄산업에 가장 투자를 많이 한 석탄 투자왕 은행이 선정되면서 논란이 일었다.

정부와 국회를 상대로 기후 헌법소원을 청구했다. 한국의 청소년 기후 소송은 동아시아 지역에서 제기된 첫 기후 소송이다.

한국보다 한 달 빠르게 시작된 독일의 기후 소송은 2021년 3월 정부를 상대로 승소했지만, 한국은 여전히 진행 중이다. 2022년 9월 기후 소송 연합체[3]의 공개서한이 정부에 전달되었고, 2023년 8월 국가인권위원회가 정부 기관 최초로 기후 변화를 인권의 문제로 인정하는 결정문을 헌법재판소에 제출했지만, 아직 결과는 감감무소식이다.

청기행은 이처럼 정확하게 타겟을 설정하고 그에 맞는 메시지와 활동 전략을 구상한다. 청기행이 만들어 가는 행보가 매번 주목받는 이유이다. 반면, 청소년을 바라보는 한국 사회의 시선은 양가적이다. 배제 혹은 보호주의. 청기행이 기후위기와 함께 맞닥뜨리고 있는 한국 사회의 현실이기도 하다. 2019년 공직선거법 개정안이 국회를 통과하면서 선거 연령은 만 18세로 하향 조정되었다. 하지만 현행법은 여전히 청소년의 정당 가입, 선거 운동 등을 금지하고 있다. 정치에 참여하고 시민으로서 목소리를 내는 청소년에게는 이중 잣대가 주어진다. '학생답지 못하다'라거나 '기특한 아이들'.

사람들이 '미래를 위한 금요일Fridays For Future[4]' 운동을 이끈 스웨덴

---

3 청소년기후행동을 포함해 프랑스의 비영리단체 '우리 모두의 일Norte Affaire a Tous', 뉴질랜드의 '기후 행동을 위한 변호사들의 모임', 독일의 '저먼 워치German Watch' 등 세계 각국의 변호사 단체 및 시민사회 단체 29곳이 기후 소송을 목표로 결성되었다. 2023년 9월 27일, 기후위기 대응의 법적 의무를 촉구하며 각국 정부에 공개서한을 발송했다. (출처: 청소년기후행동 보도자료 '각국 정부에 보내는 공개서한' 2022.09.27.)

4 2018년 그레타 툰베리의 등교 거부 피켓 시위로 시작해, 전 세계적인 청(소)년의 참여로 '미래를 위한 금요일'운동이 만들어졌다. 동시다발적인 시위를 통해 정책결정권자를 압박하고 변화를 촉구하고 있다. 2019년 3월 15일 첫 번째 전 세계 기후 파업을 만든 이후로 수차례의 동시다발 기후 파업을 만들고 있다. 이들은 기후를 위한 결석시위School Strike 또는 '글로벌 기후 파업Global Climate Strike'으로 시위의 명칭을 사용해왔다. 당시 10대 활동가였던 그레타 툰베리는 2023년 6월, 학교 졸업과 함께 마지막 결석 시위를 마쳤다.

의 기후위기 활동가 그레타 툰베리Greta Thunberg를 두고 희망이라 환호하며 '한국의 그레타 툰베리'를 운운할 때, 청기행은 "그레타 툰베리 혼자서는 할 수 없다"고 단호하게 말한다. 더 많은 동료 시민과 함께 변화를 만들기 위해 청기행은 모두의 '기후 문해력'을 높일 방법을 궁리한다. '모두의 기후정치'를 꿈꾸며 현황과 데이터, 수치와 용어, 담론과 당위에 가려져 있던 언어를 우리의 일상, 당장 직면해야 하는 모두의 현실로 데려온다.

청소년은 아직 도래하지 않은 세계를 살아갈 '다음 세대'가 아니라 동시대 지구에서 함께 지내고 있는 현재 세대이다. 청기행의 평등문화약속문에는 이런 구절이 있다. "청(소)년 당사자들이 서로를 그리고 스스로를 수단화, 소비화하지 않도록 주의하고 있어요." 한 인간이 자기 자신과, 다른 인간과, 다른 종과, 그리고 자연과 어떤 관계를 맺어야 할지 성찰하게 만드는 문장이다. 활동의 '롤모델' 없이 '다른 세상을 위해 틀을 깨고 대담한 전환을 그리며 나아가는' 중인 청기행의 김보림, 김서경 활동가를 만났다.

평범하고 안전한 미래를 위해서
행동하는 당사자 단체

Q. 단체 이름에 '청소년'이 명시되어 있어요. 시간이 흐르면서 활동가가 더 이상 청소년 당사자가 아닌 시점도 만나게 될 텐데요. 활동하면서 청소년 당사자라는 정체성은 어떻게 작동하고 있나요?

김서경   청기행은 청소년만 활동하는 단체는 아니에요. 저의 경우 활동을 시작할 때는 청소년이었고, 지금은 비청소년이 되었는데요. 활동 초기나 지금이나 여전히 비청소년도 함께 활동하고 있어요. 청소년 정체성을 강조했던 이유는 청소년의 입장에서 기후위기를 말할 때마다 비청소년이 되면 그때 직접 해결해 봐라, 하는 식의 사회적 분위기가 존재했기 때문이에요. 처음 단체가 만들어질 때 청소년의 참여 비율이 높기도 했고요. 청기행은 나이와 관계없이 누구나 기후위기의 활동 주체가 될 수 있다는 메시지를 지속해서 전하고 있는데요. 최근 들어 청기행 내부에서는 청소년과 청년의 구분을 더 이상 중요하게 다루지 않고 있어요. 그런 운동을 계속 만들어 가는 게 목표이기도 하고요.

김보림   한편으로 단체 이름에 청소년이 있다 보니 끝없이 유입되는 구성원의 90% 이상이 청소년이기도 한데요. 가장 중요한 건 함께 행동하고 싶은 사람이라면 누구든 변화에 동참할 수 있어야 한다는 점이에요. 내부적으로 점점 나이 자체를 개의치 않게 되었는데, 외부에 대응하면서 달라진 변화이기도 해요. 과거에는 누가 몇 살인지 꼭 확인하려 들거나, 특정한 이미지의 청소년을 요청하는 사람들도 있었는데요. 이제 그런 요청은 청기행 내부에서 거절하기도 하고요. 우리가 만들려고 하는 문제 해결의 본질에만 주목하는 편이에요.

Q. 전국 40여 개의 지역에서 청소년이 함께하고 있어요. 개별 학교나 지역 단위의 조직 과정이 있었는지 궁금해요.

김보림 사무국은 서울에 있지만 내부 구성원은 전국 각지에서 다양하게 모여 있어요. 별도의 조직화 과정이 있었다기보다는, 참여하는 구성원의 지역을 살펴보니 40여 개로 분류되더라고요. 조직화에 대한 고민은 항상 들어요. 청기행은 초기부터 지금까지 나이, 지역, 지식의 차이와 상관없이 서로 관계 맺을 수 있고 운동의 주체가 될 수 있다고 이야기해 왔는데요. 막상 대통령을 찾아간다거나, 주요 정부 부처를 방문한다거나, 어떤 액션이 진행되면 결국 자원이 서울로 집중되곤 하더라고요. 지역 안의 조직이나 자원의 분산 방법은 여전히 고민 중이에요. 현재로서는 비록 얇고 넓게 가더라도 누가 어디에 있든 관계 맺고 역할을 만들도록 하는 게 청기행이 다가갈 수 있는 방향이라는 결론을 내렸어요. 그러다 보니 지역 조직화에 집중하기보단 네트워크형 조직을 택하게 된 것 같기도 해요.

김서경 청기행의 지향점은 지역, 성별, 나이, 정체성과 상관없이 기후위기 해결이라는 공통적인 목표를 가지고 나아가는 데 있다고 생각해요. 내가 살고 있는 지역을 어떻게 바꿀 것인지도 중요하겠지만, 지금 당장 우리의 지역이나 환경이 달라도 최종적으로는 기후위기 해결이라는 하나의 목표로 모이는 거죠. 잘 모아낼 수 있도록 어떤 활동이 더 필요할지 고민하는 것이 청기행의 역할이기도 하고요.

Q. 정책결정권자에게 요구하는 7가지 요구안[1]을 보면, 청기행이 기후위기를 다루는 관점과 방향이 구체적으로 담겨 있는데요. 요구안이 도출되는 과정은 어떠했나요?

김보림 날을 잡고 한 번에 정리한 건 아니고요. 캠페인을 할 때마다 공통으로 나오는 요구 사항을 취합해 두고 있었어요. 활동 초기에는 기후위기의 심각성과 시급성에 주목했는데, 점차 실질적이고 정치적인 변화나 사회구조적인 변화를 고민하게 되더라고요. 타겟이 세분화되고, 전략과 캠페인을 구체화하면서 그 과정에서 자연스럽게 요구 사항이 정리되는 시간이 있었어요. 청기행의 최종 목표가 기후위기 해결이라면, 우리는 어떤 방식의 해결을 원하는지 정의 내리고 어떻게 정책결정자를 움직이게 할 것인지 고민하는 시간 속에서 7가지 요구안이 모인 거죠.

---

1 청기행의 홈페이지에는 '1.5도라는 회복 불가능한 마지노선'을 넘지 않기 위해 정책결정권자에게 요구하는 7가지 요구안이 정리되어 있다. 자세한 내용은 이 책의 별첨 34쪽에서 확인할 수 있다.

김서경 '기후위기 해결'이 무엇을 의미하는지 명확하게 정리하는 과정도 필요했어요. 사람들이 떠올리는 '해결'은 정말 다양하고 많은 의미를 내포하고 있잖아요. 청기행이 말하는 해결은 무엇을 의미해야 하는지 고민하는 과정에서 가장 먼저 정리된 것이 '산업화 이전 대비 지구 온도 상승을 1.5도 이내로 제한하는 것'이었어요. 이게 가능하려면 온실가스를 줄여야하는데 어떻게 줄일 것인가. 석탄발전소 퇴출과 재생에너지로의 전환 같은 구체적인 요구 사항이 드러나는 게 중요하다고 생각했어요. 단순히 '기후위기를 해결하라'는 구호가 아니라, 해결을 위해 석탄발전소를 줄이고, 재생에너지로 전환하고, 그 과정에서 정의로운 전환이 이뤄져야 한다는 거죠. 청기행의 7가지 요구안은 열린 결말이 아니라, 실질적인 요구사항을 만들어 내는 과정이었다고 생각해요.

Q. 기후위기 시대에 청기행이 만들고자 하는 변화는 구체적으로 무엇인가요?

김서경 청기행이 정의한 기후위기 해결은 크게 두 측면으로 나뉘는데요. 하나는 1.5도 이내로 지구 온도의 상승을 막는 온실가스 감축이 있고요. 다른 측면으로는 인간 삶에 필수적인 요소를 보장될 수 있는 '사회적 안전망'이 있어요. 이미 배출된 온실가스로 인한 사회적 재난, 자연적 재난, 우리 삶을 둘러싼 여러 요소가 있는데요. 변화하는 환경에 맞춰 전환하는 과정이 필요할 텐데 기후위기는 인류가 생존해본 적 없는 새로운 환경이잖아요. 제도적으로 갑작스러운 변화에 대응하기에는 아무래도 구멍이 많을 수밖에 없죠. 우리가 특별히 약자라서, 특별히 불행해서가 아니라 평범한 사람인데도 현재의 제도 안에서는 보호받지 못하는 상황이 분명 올 거란 말이죠. 그렇다면 지금 정치는 어떻게 변화해야 하는지, 어떤 방향의 변화가 우리를 안전하게 지켜줄 수 있을지 분명한 판단이 필요해요. 청기행은 사회적 안전망을 보장할 수 있는 변화를 요구하고 있어요.

김보림 청기행은 기후위기 해결을 어떻게 구체화할 수 있는지, 이를 위해 가장 전략적인 선택은 무엇일지 고민하는 단체예요. 활동이 허공에 맴돌거나 우울감을 달래는 데 머무는 게 아니라, 실제 정책 결정권자를 움직이게 하는 방식이 되어야 하니까요. 기후 소송처럼 사법적 영역 안에서 강제성을 만들기도 하고, 입법부나 행정부에 직접적인 개입을 하는 방법이 될 수도 있겠죠. 정세가 빠르게 변화하는 상황 안에서 전략을 짜는 단위는 보통 좁혀질 수밖에 없잖아요. 주로 사무국이 그런 역할을 맡게 되는데요. 청기행은 개입하는 과정에 여러 사람이 들어올 수 있도록 접근성을 높이려고 해요. 기후위기는 복잡하고 어려운 문제라는 인식이 강하잖아요. 그래서 더더욱 기후위기의 흐름을 함께 읽고 목소리를 내는 게 중요한 거죠. 기후 문해력을 높이는 활동에도 중점을 두고 있어요.

Q. 청기행이 이끌어낸 서울시 교육청의 '생태전환교육 계획안' 은 공교육에서 기후위기를 중요하게 다룬 사건이라고 생각해

요. 이 과정은 어떻게 진행되었나요?

김보림 기후위기 해결을 위해 여러 정책 결정권자들이 모두 움직여야 하는 상황에서 교육청을 찾아간 이유는 우리가 가장 닿을 수 있는 단위였기 때문이에요. 서울시 교육청이 실제 규칙을 개정해서 금고 선정 규칙을 바꾸자, 다른 교육청도 조례나 규칙을 바꾸기 시작했죠. 교육감의 명령으로 사례가 생기고, 한 명의 정치인이 응답해서 긍정적인 그림이 만들어지자 전국에 있는 교육청들이 경쟁하듯 개정하기 시작했어요. 사실 그 과정에서 어려움도 적지 않았어요. 그 이후에 전국의 교육청에서 청기행으로 연락이 오기 시작했어요. '우리 교육청도 제2의 그레타 툰베리를 만들겠다', '너희가 이 지역에서도 학생 하나 뽑아줘라'. 이런 식으로 문제의 본질은 사라지고 청소년의 요구에 응답하는 어른의 모습을 연출하려고 하더라고요. 어떻게 변화할 것인지 요구하는 게 청기행의 역할이라면, 제대로 실행하는 건 교육청과 그 내부의 구성원이 만들어가야 하는 역할이기도 하잖아요. 청기행이 계속 개입했다가는 당사자가 구조 안에서 수단화되는 경향이 강해지겠더라고요. 청소년 정체성을 가진 구성원이 많은 단체이기에 청기행의 요구가 잘못 소비되거나 수단화되는 것을 경계하려고 많이 애썼어요.

Q. '기후위기를 방관하는 것은 위헌'이라며 대통령과 국회를 상대로 헌법소원을 청구했지만, 3년 넘게 헌법재판소는 침묵으로 일관하고 있는데요. 답답한 상황입니다만, 어느 정도 예상한

바가 있었나요?

김보림 예상은 했지만 이렇게까지 늦어질 줄이야. 변호인단을 통해서 낼 수 있는 의견서, 과학·정책적·법리학적 근거는 이미 다양한 형태로 제출된 상태예요. 사실상 기다리는 것밖에 할수 없는 상황이 유지되고 있어요. 저는 이게 판결만 늦어지는 것일 뿐, 당연히 승소할 수밖에 없다고 생각하거든요. 너무 근거가명확하니까요. 잘못된 법을 바꾸고 계획을 수정하는데에도 시간이 걸리다 보니 빠른 판결이 중요한 상황이에요. 지난 3월에헌법재판소의 신속한 판결을 촉구하는 기자회견도 열었고, 국내외 법조인의 지지 서명도 전달했는데요. 판결을 촉구하는 캠페인을 집중적으로 전개할 계획이에요.

지금 필요한 건 기후위기에 맞서는 정치

Q. 기후정치의 전망을 그리기 어려운 한국의 정치 상황 속에서 2022년 대선을 앞두고 진행한 '모두의 기후정치' 캠페인이 가장 먼저 눈에 들어왔어요. 캠페인에 담고자 했던 고민과 문제의식은 무엇이었나요?

김보림 '모두의 기후정치'를 처음 기획하던 당시에는 '기후정치'라는 말도 없었죠. 인터넷 창에 검색해도 나오지 않는 말이었어요.

김서경 환경이나 기후 문제는 정치적 중립성을 지켜야 한다는 원칙이 강하게 작동해요. 하지만 사실 기후만큼 이해관계가 얽힌 정치적 문제가 없죠. 기후위기가 수면 위로 논의되지 못한 이유는 정치적 중립이라는 프레임 때문이기도 해요. 그러니까 매일 개인적 실천만 강조되고요. 기후를 정치적으로 어떻게 다룰 것인지 질문하면서 '모두의' 라는 말을 붙이게 됐어요.

캠페인을 시작하던 때가 마침 영화 <아이엠그레타>가 개봉했던 시기랑 겹치는데요. 사람들이 그레타를 굉장한 영웅이자 기후위기의 아이콘으로 받아들였잖아요. 상징적이고 큰 의미가 있는 인물은 맞지만, 변화를 만드는 건 그레타 한 명으로 할 수 있는 게 아니에요. '이 영웅이 우리를 구해주겠지'가 아니라 '저 사람도 활동하고 있으니 우리도 함께 힘을 합치자'가 중요한 거죠. 거기에 더해 청기행은 정치적인 변화가 필요하다고 판단했어요. 개인적 실천을 넘어설 수 있는 기후정치의 이야기를 계속 꺼내야 한다고 생각했고요. 그래서 정치가 조금 더 쉬워지고, 기후정치가 조금은 만만하게 받아들여져서 누구나 할 수 있는 이야기가 되었으면 좋겠다는 게 캠페인의 가장 큰 방향이기도 했어요. 혼자서는 아무것도 바꿀 수 없으니까요.

Q. 그렇다면 청기행이 정의한 '기후정치'의 의미는 무엇인가요?

김서경 기후위기를 말할 때 등장하는 '정치적 중립성'은 기후위기를 단순한 자연 현상으로만 받아들였기 때문에 할 수 있는 표현이라고 생각해요. 청기행은 '기후가 변화한다'는 현상에 그치지 않고, 기후위기를 유발하고 여전히 해결하지 못하는 이유가 인간의 이해관계에서 비롯된다고 봐요. 가장 원론적으로 인간의 이해관계를 설명하는 단어가 정치잖아요. 이때 '기후위기가 정치적이다'라는 말은 방치하고, 가속하던 것을 멈추고 해결하는 영역도 결국 이해관계 속에서 해결되어야 한다는 의미이죠. 노동자, 에너지, 지역 등 굉장히 많은 영역을 풀어가야 하는 문제인데, 그 문제들이 결국 정치로 이어져요. '기후정치란 무엇인가?' 누군가 묻는다면 저는 기후위기를 자연 현상으로만 바라보는 것이 아니라, 정치 영역 안에서 인간이 해결해야 하는 문제라는 점을 강조하고 싶어요.

김보림 '기후정치'라는 표현 속에 저의 정의와 바람이 뒤섞여 있는 것 같긴 한데요. 기후위기를 환경 문제로만 취급하거나, 여러 사회 문제 중 하나로 '다루면 좋고 아니면 말고'가 아니라요. 기후위기라는 문제가 이 사회 구조 안에서 어떤 위기와 연결되고 있는지 계속 파악하는 게 중요하다고 생각해요. 기후정치는 결국 일자리, 주거, 식량 위기 등 기후위기가 삶의 어떤 부분에 영향을 주는 문제인지 구조적으로 바라보고 실제 필요한 사회적 대안을 만들어 내는 것이 포함되는 일이 아닐까요.

Q. '모두의 기후정치' 캠페인을 진행하면서 기후정치크루를 모집했어요. 크루로 참여하는 사람들의 반응은 어떠했나요?

김서경 어떤 사람들이 함께하는지 기후정치크루를 통해 실체를 드러내고 싶었어요. 다들 정치에 대해 굉장한 피로감을 느끼고 있잖아요. 몇백 쪽에 달하는 정책 자료집을 읽는다고 해서 단번에 이해되는 것도 아니고요. 굉장히 모호한 문장으로 쓰인 정책도 많아서 실제 질의를 하지 않고서는 옳은 정보인지 판단이 잘 안 되는 경우도 있거든요. 청기행이 전하는 소식을 계기로 선거판에서 기후위기와 관련된 이슈가 어떻게 진행되는지 조금이라도 더 알게 되길 바랐는데요. 기후정치와 관련해 무엇이 궁금한지 피드백을 받거나 소통하는 과정을 중심으로 진행했는데, 후보를 판단하는 기준이 한 가지 더 생겼다는 말씀을 많이 해주시더라고요. 한 명의 정치인이 어느 정당에 속해 있고 어떤 정치 철학을 가졌는지도 중요하지만, 기후위기의 측면에서는 어떤 정치인인지 판단할 기준이 필요하죠. 정보를 바탕으로 판단하고, 평가하고, 더 나아가 기후정치와 관련해 필요한 정책을 스스로 요구할 수 있는 사람들이 많아져야 한다고 생각해요.

Q. 청기행 자체적으로 선거 출마에 대한 고민은 없었는지 궁금해요. 청기행의 활동가라는 정체성을 드러내고 의회 정치에 직접 참여하는 것과 관련해 내부적으로 진행된 논의가 있나요?

김서경 당연히 생각해보긴 했죠. 출마도 하나의 수단이고 방법이니까요. 그렇지만 실현에 옮길 가능성은 낮다고 봐요. 청기행은 구성원의 대다수가 청소년인 단체이기도 하잖아요. 그렇다면 이런 질문을 던지게 되는 거죠. 모두가 정치인이 되면 해결될까? 정책결정권자가 되는 것이 최선일까? 우리가 출마한다는 건 결국 더는 방법이 없어서 직접 정치를 하겠다는 거잖아요. 청기행이 만들어 가려는 방향성과는 조금 다른 지점이 있다고 생각해요. 청기행의 방향은 권력을 가지고 옳은 판단을 내리는 것이 아니라, 권력을 가지지 않은 시민 누구나 행동할 수 있고 결국 함께 변화를 이뤄내는 것이거든요. 직접 출마는 개인의 선택이지만, 청기행의 활동은 정치인이 누가 되었든, 현재의 구조를 바꾸고 시민의 요구안을 수용할 수 있는 환경을 만드는 일에 가깝다고 생각해요.

김보림 현재 한국 정치 안에서 원하는 변화를 만들기에는 사실상 어려움이 있다고 봐요. 사회 운동하는 사람에게 '정치해라'라는 말을 흔히들 하시는데요. 개인적으로 상상해봤을 때도 있을 곳은 아니라는 생각이 들어요. 지금은 청기행 안에서 행동과 변화를 더 잘 끌어내는 데 필요한 역할을 온전히 수행하는 게 중요하다고 생각해요.

Q. '모두의 기후정치'는 향후 한국 사회의 기후정치 밑그림을 그리는 데 있어서 아카이빙적인 의미도 크다고 생각해요. 선거는 시기마다 돌아올 텐데, 유사한 기획의 캠페인을 지속할 계획인가요?

김보림 2024년에는 총선이 있지요. 어떤 행동을 할지 당장 정하기보다는 계속 상황을 보면서 할 수 있는 것을 정리하는 중이에요. 총선은 대선과는 결이 다르기 때문에 대선을 앞두고 기획한 캠페인과는 전략도 다를 수밖에 없고요. 대선에서 얻었던 경험을 총선에 맞춰 동일한 포맷으로 진행하기보단, 또 다른 지점의 이야기가 필요하다고 생각해요.

  김서경 '모두의 기후정치'가 대선 한 번 치르고 끝내는 일회성 캠페인을 염두에 둔 건 아니었어요. 대선은 시기가 맞아서 시작했던 거고요. '모두의 기후정치'라는 이름으로 계속해서 정치라는 영역을 다룰 계획이에요. 선거는 한 번의 이벤트일 뿐, 실제 중요한 것은 기후위기와 관련해 어떤 정책적 변화나 정치적 결정이 이뤄졌는지에 있죠. '모두의 기후정치'는 말씀하신 것처럼 아카이빙의 역할을 하는 부분도 있고, 기후정치의 대중화라고 할까요? 그런 과정을 축적하는 일이라고 생각해요. '기후위기는 더 이상 정치적 중립성을 가질 수 없는 문제이다.' 이 문장을 더 많은 사람들이 수월하게 받아들일 수 있도록 활동을 계속 만들어 가고 싶어요.

기후위기 시대, 변화에 대한 믿음과 동력

  Q. 청소년을 바라보는 한국 사회의 시선에 맞서 활동을 이어가기가 쉽지만은 않았을텐데요. 활동을 하면서 직면하게 되는 어려움과, 그럼에도 이어가게 되는 동력이 있다면 무엇일까요?

김보림 청기행은 더 이상 '미래 세대'라는 표현을 쓰지 않아요. 청년이나 청소년을 일부러 부각하지도 않고요. 보통 청(소)년 단체에 기대하는 말이나 그림이 있는 것 같은데, 우리의 목소리가 온전히 가닿기보단 그냥 소비되기 쉽더라고요. 청기행이 활동한 지 5년 차 정도 되었는데, 조직 구조도 내부에서 많이 달라졌어요. 그 사이 기후위기에 대한 정세와 인식도 변화했고요. 한편으로는 기후위기의 문제를 익숙하게 느끼는 사람들이 늘어나면서 활동에 대한 반응이 시들시들해지는 부분도 있는 것 같아요.

기후위기를 다루는 활동 자체에 이 문제가 어떤 불평등과 연결되어 있는지 사회 구조를 이해하는 과정이 뒤따르는데요. 과거에는 기후위기의 심각성을 강조했다면, 이제는 어떤 사회를 그리며 전략을 구체화하고 말을 걸어야 하는지 고민해야 하는 상황이에요. 청기행이 활동해 온 시간들은 내/외부적인 변동이 큰 시기였던 것 같아요. 그 과정 안에서 자체적인 성장을 하기도 했지만, 이제는 더 어렵기도 하고요. 그럼에도 활동을 지속하는 이유는… 저도 솔직히 뭘까 싶어요. 동료애가 넘쳐서, 배움이 커서, 혹은 희망이 있어서라고 확신을 가지고 말씀드리긴 어려울 것 같고요.

김서경 어려움 중 가장 큰 건 무력감이죠. 청기행이 신생 단체라고는 하나, 제 인생에서는 꽤 길거든요. 제법 오랫동안 활동을 해왔고 나름 유의미한 성과를 만들어 오긴 했지만, 과연 온실가스가 얼마나 줄어들었나? 잣대를 딱 들이밀면 발전소 하나 못 끈 단체인 거죠. 정책 하나를 온전히 바꾼 것도 아니고요. 사실은 활동할 때마다 벽에 부딪히는 기분이 들어요. 청소년 단체라는 정체성에서 비롯된 어려움도 존재해요. '청소년인데 이런 역할은 왜 안 해?' 당연하다는 듯 어떤 의무를 요구받기도 하고, 이행하지 않았을 때 굉장한 비난을 접하기도 하고요.

여러 종류의 어려운 상황을 마주하고 있는데, 활동을 그만두지 못하는 이유를 정확히 꼽을 순 없을 것 같아요. 큰 꿈을 이루겠다는 것도 아니고, 지금 당장 활동하지 않는다고 해서 제 일상이 와르르 무너지는 것도 아닌데요. 아무것도 안 하는 것보다는 낫다는 판단이 항상 들긴 해요. 하나의 책임감일 수도 있고요. 아직은 더 할 수 있는 게 있다고 믿고 싶기도 해요. 할 수 있는 게 있다면 할 수 있을 때까지 계속할 것 같아요.

Q. 기후위기 시대의 동료 시민에게 남기고 싶은 말이 있다면요?

김보림 이런 질문은 항상 답변이 오글거리는데요. 청기행과 함께 변화의 가능성을 찾고 함께 하면 좋을 것 같아요. 현재 전략을 정비하고 구체화하는 단계인데, 이전보다 더 명확하게 변화의 가능성을 그려 나가고 싶거든요. 다양한 캠페인을 만들 예정이니 함께 해주시길 부탁드립니다.

김서경 어떠한 방식으로든 변화를 요구하는 행위를 멈추지 않았으면 좋겠습니다. 물론 청기행과 함께 해주셔도 좋고요.

▌기후정치를 위한 진단

Q. 현재 한국 사회에서 영향력 있는 기후정치 세력이나 움직임
이 나타나지 않는 근본적인 이유는 무엇일까요?

김서경   일단 모두에게 기후위기가 우선순위는 아니잖아요.
청기행은 기후위기가 비단 환경 문제가 아니라고 이야기하고
있지만, 여전히 많은 이들에게는 굳이 카테고리화하자면 환경
으로 분류되는 듯 해요. 그렇게 환경 문제가 되어버리면, 당장
먹고사는 문제랑 부딪칠 때 우선순위에서 밀리는 게 당연하고
요.

김보림   저는 정치의 무능이라는 말이 입에 맴도는데요. 국가
적으로, 지역적으로 개개인의 위기가 점점 커지는 상황 속에서
정치가 누구를 대변하고 있는지 들여다보는 게 중요한데, 전혀
고려되고 있지 않은 것 같아요. 기후위기를 초래한 구조와 이윤
중심의 체계를 유지하는 게 정치권은 더 이득이라고 판단하는
듯하고요. 그러다 보면 결국 시민 탓으로 돌리는 과정이 반복되
는 거죠. 유권자가 원하지 않아서 어렵다, 아직은 시기상조다,
현실적이지 않다 등등 이런 이야기만 반복적으로 나오고 있어
요. 최근에 본 어느 정치인은 재생 에너지 확대와 온실가스 감축
에는 공감하지만, 설득할 힘이 자신에겐 없으니 기업에 요구해
보라는 코멘트를 하더라고요. 위기를 인식하지 못하는 것도 문
제이고, 위기를 인식한 사람마저도 정치적 리더십을 가지고 치

고 나가지 못하는 것도 문제라고 생각해요. 제대로 대변하지 못하니 타협하게 되는 거죠. 결국 정치가 제 역할을 못 한 것이 현재 상황의 가장 큰 원인이지 않을까요.

김서경 정치인은 다수를 대표하는 한 사람인데, 그 역할을 온전히 해내기 위해서는 때때로 모두가 가려고 하지 않은 길도 가야 하는 거잖아요. 인류를 위해 어떤 선택을 해야 하는지 묻는다면 지금 당장은 반대에 부딪힐지 몰라도 해야 하는 일이 있어요. 하지만 현재 한국 정치에서는 당장 당선되는 게 중요하고, 임기 동안 큰 사건이 벌어지지 않는 게 중요해 보여요. 그런 상황이 반복되다 보니 정치인으로서 역할과 책임을 인지하지 못하고 굉장히 회피적인 태도로 나오는 경우가 다반사고요. 지금 당장 힘이 없으니 나중에 이야기하자, 내 임기 동안에는 굳이 뭔가를 하지 말아라, 이런 태도도 현 상태의 원인 중 하나라고 봐요.

Q. 기후정치가 확장성을 가지고 나아가기 위해서는 무엇이 필요할까요?

김보림 기후위기를 해결하기 위해 바꾸어야 하는 것들이 있잖아요. 온실가스 감축, 석탄 발전소 퇴출, 정의로운 전환, 사회적 안전망 등을 일상의 의제로 세분화하고 거기에 더 많은 사람의 목소리가 들어오게 하는 과정이 필요하다고 봐요. 환경 이슈에 불과한 것이 아니라 내 지역의 문제이고, 주거의 문제이고, 일자리의 문제이고. 이런 방식으로 기후위기 안에서 다양한 사람들이 자기 삶 속의 문제와 연결되는 것이 중요해요.

청기행이 서울시 교육청을 방문했을 때, 서울시 학생들만 오면 좋겠다는 말을 들었는데요. 정치인들은 시민을 고객으로 보잖아요. 자기에게 표를 줄 수 있는 단위, 힘을 줄 수 있는 특정한 세력을 중요시하죠. 그런 측면에서 더 많은 사람이 일상에서 기후위기로부터 어떤 영향을 받는지 구체적으로 끌어내는 것이 필요하다고 생각해요. 요즘 제 고민은 그런 판을 어떻게 만들 것인가에 있어요. 기존의 영향력을 가진 정치인이 리더십을 발휘하길 기다리기보다는, 어떤 방향의 전환이 필요한지에 대한 이야기가 끝없이 나온다면 정치인도 결국 들여다볼 수밖에 없겠죠.

김서경 기후정치라는 말을 이렇게 많이 쓸 줄 몰랐는데요. 이제는 명사처럼 되었잖아요. 뿌듯함도 들고, 한편으로는 기후를 그냥 다룬다고 해서 기후정치가 되는 것은 아니니까요. 거기에 그치면 기후정치를 모든 정치인이 가져다 쓰겠죠. 기후위기도 실제 위기는 다루지 않지만 많이 쓰이면서 논의가 흐려진 부분이 존재하는 것처럼요. 그렇게 되면 기후 운동 차원 안에서 이전과는 다른 방향이나 접근이 필요할 것이라고 생각해요.

청소년기후행동의 '우리의 요구'

기후위기로 어느 누구의 삶도 배제 되지 않기 위하여
평범하고 안전한 일상, 당연하게 지켜져야하는 존엄한 삶을 위하여

IPCC가 권고하는 지구 온도 상승을 산업화 이전 대비 최소 1.5도 이내로 제한하기 위한 조치가 필요합니다. 청소년기후행동의 개개인은 개인의 삶 속에서 비건, 석탄 발전소에 투자하지 않는 은행을 선택하기, 기후위기를 알리기, 스팸 메일 줄이기, 일상에서 온실가스를 줄일 수 있는 선택을 하기 위해 노력합니다. 하지만, 기후위기를 막기위한 우리의 요구, 우리의 시선은 단지 개인의 실천에 머물지 않습니다.

기후위기는 우리의 건강한 삶, 주거, 먹거리, 일자리, 경제 모두의 불평등을 야기하는 문제입니다. 기후위기는 인권과 생존의 문제입니다. 돌이킬 수 없는 기후파국으로 부터 안전하고 건강한 삶을 지키느냐의 문제이며, 무너지는 일상 안에서 기후위기에 대응하는 정책의 방향은 기후위기의 영향을 받는 당사자에 대한 고려없이 단지 국민의 작은 실천만을 강조하는 것으로 존재해서는 안됩니다.

존엄한 삶, 당연한 일상, 안전한 미래, 생존과 생태계의 붕괴를 포함한 기후 파국을 막기 위하여 사회 구조의 전환에 동의하며 이를 위해 우리는 1.5도라는 회복 불가능한 마지노선을 넘지 않기 위해 해야만 하는 선명한 변화를 정책결정권자에게 요구합니다.

우리는 우리의 생존과 권리를 위해 외칩니다.

1. 산업화 이전 대비 지구 온도 상승을 1.5도 이내로 제한해야합니다.

2. 한국 정부가 강행하고 있는 국내 7기, 해외 3기의 신규 석탄 발전소를 즉각 중단하고, 재생에너지로 즉각 전환해야합니다.

3. 2030년까지 모든 석탄발전소를 단계적으로 퇴출해야합니다.

4. 2030년 국가 온실가스 감축 목표를 2017년 배출량 대비 70% 이상 감축해야합니다. 국가 온실가스 감축 목표는 기후정의에 입각하여 설정되어야합니다. 즉, 대한민국의 국제적/역사적 책임과 경제기술적 역량, 가장 빈곤하고 취약한 사

회와 세대에 대한 공정한 분담, 평등을 고려하여 설정되어야하며 이를 법제화 해야합니다.

5. 기후 정의와 형평성을 고려하여 사회 구조 전반의 정의로운 전환을 만들어야 합니다.

6. 기후위기의 영향, 전환의 과정의 영향을 받는 당사자들을 참여의 주체로서 논의에 포함시키고 전환의 과정에 배제되지 않도록 해야합니다. 청소년, 청년과 노동자를 비롯하여 기후위기의 당사자들은 보다 나은 세계를 만들기 위한 정치적 권리의 주체이며, 당사자들은 단순히 정책의 고려 대상을 넘어 지금 이 시스템을 기후위기에 대응하기 위해 전환하는 '주체'로 받아들여져야합니다.

7. 기후위기는 이미 심각한 문제이며, 앞으로 더 빈번하고 강도높게 나타날 기후 재난으로부터 더 취약하게 영향을 받는 이들이 회복할 수 있는 대책 마련이 필요합니다. 이미 심각한 기후위기에 대응하고 적응하기 위한 대책을 종합적으로 마련해야합니다. 기후위기로 빠르게 붕괴되는 생태계와 무서운 속도로 늘어나는 재난의 위험은 우리의 거주 공간과 생계의 기반, 먹거리와 평범한 일상 모두를 무너뜨립니다. 늘어갈 기후파국의 위협 안에서 적응하고 회복할 수 있는 대책을 미리 만들지 않으면 우리는 어떤 것도 지키지 못하게 됩니다.

모두의 기후정치 캠페인을 시작하며

-아이엠그레타 시사회 발언 내용 중 일부-

그레타가 만든 변화는 정치를 움직이지는 않았지만, 같은 청소년 당사자를 움직이게 했습니다. 우리도 목소리낼 수 있다는 사실을 알려주었습니다. 그렇게 모인 청소년들은 세상을 바꾸고 있습니다. 제2의, 제3의 그레타가 필요한 것이 아니라, 변화의 흐름을 받아들이고 행동해야 합니다. 우리도 한국에서 이러한 변화에 서 있는 사람들입니다. 우리는 정말 평범한 사람들이지만, 당사자로서 목소리를 내면서 변화는 시작되었습니다.

우리는 지금 이 자리에서 우리들의 목소리로 변화를 만들기 위해 모여있습니다. 우리는 생태감수성이 높거나 정신이 깨어있어서 활동하는 것이 아닙니다. 환경교육, 플라스틱, 개인적 실천으로 해결할 수 있는 문제가 아닌데 우리를 포함한 시민들에게는 이런 것들만 강요되고 있습니다. 마치 이 모든 게 우리의 잘못인 것처럼요. 그래서 우리는 결석시위, 기후헌법소원을 청구하고 정치인들을 만나고 대중에게 함께 행동하자고 이야기합니다.

영화의 그레타를 보면서 사람들은 대단하다고 합니다. 결석시위를 처음 시작한 사람이자 전 세계의 기후운동의 아이콘이 되었으니까요. 많은 사람들이 그레타를 보며 환호하고, '우리의 희망'이라 추켜세웁니다. 하지만 기특하다는 말을 넘어서, 진짜 행동은 없습니다.

그레타는 기후위기를 막을 수 있을까요? 묻고 싶습니다. 그레타 혼자서 할 수 있는 일인지. 석탄발전소를 닫고, 온실가스를 줄이고. 이건 그레타 혼자서 할 수 있는 일이 아닙니다. 지금 우리에게 필요한 건 기후위기에 맞서는 정치, 말이 아닌 행동으로 대응하는 정치인입니다.

그래서 저희는 오늘, <모두의 기후정치>캠페인을 시작합니다. 내년 대선 전까지 기후위기를 뜨거운 정치적 의제로 끌어올리는 것이 이 캠페인의 목표입니다. 대선 토론회에서 기후위기에 대한 이야기가 나오고 후보들이 앞다투어 기후 관련 공약을 발표하는 모습을 만들고 싶습니다. 이를 위해 시민들의 여론을 모으는 게 매우 중요합니다. "우리 미래에 관심 없는 정치인은 뽑지 않겠다."라고 단호하게 선언하는 시민들이 필요합니다.

서명은 청기행 홈페이지에서 함께하실 수 있습니다. 문화계/정치계 등 사회적으로 선한 영향력을 발휘하고 있는 인사들의 지지 메시지도 함께할 것입니다. 그레타의 대사를 유심히 보고, 그 언어들에 공감한다면 지금 그 자리에서 함께 해주시길 바랍니다. 아무도 하지 않는다는 건 곧 누구나 할 수 있다는 얘기이기도 합니다. 첫 발을 내딛는 건 어렵지만, 누군가의 한 걸음은 결국 또 다른 용기를 낳을 것입니다. 변화는 그렇게 시작됩니다.

2021년 6월 16일

사랑과 분노로, 생명을 위한 반란

"정치권이 시민 다수의 인권과 행복을 침해하는 무책임하고 반인권적이며 반민주적인 행보를 보일 때 시민이 비폭력 직접 행동을 통해 항의를 표하는 것은 지극히 정당한 행위일 뿐 아니라, 시민의 권리이자 의무입니다."

출처. 멸종반란한국 인스타그램

벌새 희음

멸종반란한국 활동가

2020년 가을, 국회 정문에 자전거 자물쇠로 자신의 목을 묶은 사람들이 있다. 국회에서 2050 장기저탄소발전전략LEDS에 관한 공청회가 열리는 날이었다. 정부와 국회는 기후위기 대응을 말하면서도, 탄소중립 목표를 2050년으로 미뤄두고 기업과 재벌을 살리기 위한 '경제성장'에만 열을 내고 있었다.

2021년 봄의 초입, 어떤 이들은 부산 가덕도에서 벌어지고 있는 신공항 추진을 멈추라 외치며 더불어민주당의 당사 입구에 몸을 사슬로 묶었다. 더불어민주당은 탄소중립, 그린뉴딜을 홍보하면서 뒤에서는 가덕도 신공항 특별법을 통과시켰다. 구조물 위에 올랐던 이들은 연행되었고, 장장 1년에 걸쳐 기후재판이 열렸다.

2021년 봄의 한복판, 몇몇 사람들은 동대문디자인플라자DDP 앞에 모였다. '지구소풍'이라는 이름으로 잔디밭에 둘러앉아 요가를 하고 차를 마셨다. 12개국이 참여하는 기후정상회의인 P4G[1]가 열리는 날이었다. 기후

1 Partnering for Green Growth and the Global Goals 2030의 줄임말로 정부는 '서울 녹색미래 정상회의'라 칭하고 있다. P4G의 핵심 목표는 2030년까지 탄소배출 감축 목표의 실현에 있다. 정작 정부는 이와 관련해 어떠한 대책을 내놓지 않은 상황에서 온실가스 다배출 유발 기업인 도요타, GM, 포스코, SK 등 대기업의 총수가 참여해 기후위기 해결과는 무관하며 위선적인 그린워싱이라는 비판을 받았다.

위기 대응을 논의하는 자리에 국내 온실가스 배출량 1위 기업이자 삼척 석탄화력발전소 건설을 추진하고 있는 포스코는 발언권을 차지했다. 또 다른 사람들은 공허한 말을 남발하며 시민을 위기에 몰아넣는 정부를 향해 녹색 물감을 벼락처럼 뿌렸다. 고작 10명의 사람이 100여명의 경찰에 둘러싸였다. 이들이 내걸고 싶었던, 제지당한 현수막에는 "돈보다 생명, 성장보다는 공존"이 적혀 있었다. 경찰과 대치하는 와중, 떨리는 목소리들이 모여 '반란의 노래'를 불렀다.

"

위기 앞에서 난 너무 작아서 두려움만 느끼는 걸

어떻게든지 바꾸고 싶은데 불안함에 잠기는 걸

이런 내게 조그만 희망이 있다면

그건 바로 여기 모여 함께 있는 우리

사랑과 분노로 생명을 위하여

혼자 슬퍼하기는 그만

"

멸종반란한국 '반란의 노래' 중 (카드캡터 체리 오프닝 개사)

이들은 멸종반란한국의 활동가들이다. 이들은 '초등학교에서 아이들을 만나는 교사로서, 지구에서 살아가는 주민으로서, 말 잘 듣던 학생으로서, 에너지 기후정책 연구자로서, 꿈을 꾸고 싶은 청년으로서, 기후위기를 초래한 공범인 중년 남성으로서, 여성이자 사회주의자로서, 비정규직 여성 청년 노동자로서, 2050년에도 여전히 한국사회에서 팔팔하게 살아갈 사람으로서' 말한다. "평범한 일상을 살아가는 동료 시민들과 함께 생명을 위한 반란의 길에 설 것임을."

멸종반란한국은 '비폭력 시민불복종'이라는 방법으로 정부 및 체제에 저항하며 기후위기 시대에 정의로운 전환을 요구한다. 멸종반란한국은 '기후생태정의운동 공동체'로 정체화하고 있다. 활동가 자신을 포함해 모든 생명을 살뜰히 돌보는 문화를 궁리하고 연습하면서 '리젠(돌봄)문화'를 만들어간다. 멸종반란한국의 활동가가 진실을 알리기 위해, 분노를 감추지 않기 위해, 사랑을 품기 위해 택한 수단은 온몸으로 맞서는 것이다. 몸을 어딘가에 정박시키고 고립된 상태로 절박하게 외치는 동안 사람들의 눈동자가 잠시 머문다.

멸종반란한국은 2022년 6월 공동체의 일원이 울린 '비상벨'을 계기로 젠더폭력 사건 대응에 몰두하며 1년간 대외 활동을 멈추고 내부의 문화를 성찰하며 안전한 공동체를 만들기 위한 집중의 시간을 가졌다. 본격적인 활동을 다시 시작하기에 앞서 "무수한 흔들림으로 점철된 불완전한 경험"을 나누며 다시금 활동의 동력을 모으고 있는 멸종반란한국의 벌새, 희음 활동가를 만났다.

멸종에 저항하는 행동, 반란

Q. 2020년 10월부터 '멸종반란 금요일 모임'이라는 이름으로 강연, 다큐멘터리 상영회, 기후불안 상담소, 멸종한 동물들의 밤 파티 등 다양한 형태의 모임을 진행했더라고요. 멸종반란한국의 활동이 어떻게 본격화되었는지 궁금해요.

벌새 처음부터 멸종반란한국을 만들기 위해 모였던 건 아니고요. 사회과학서점인 풀무질에서 기후위기에 관한 책을 읽는 모임으로 출발했어요. 책을 읽다 보니, 지금 책 읽을 때가 아니라는 걸 깨닫게 되었는데요. 행동 중심의 무언가를 만들어보자는 계획을 하기 시작했어요. 그게 멸종반란한국이었던 이유는, 체제부터 근본적으로 뒤흔드는 급진적인 말을 하는 그룹이 필요하다고 생각했기 때문이에요.

기후위기를 시장과 정치에 믿고 맡길수록 멸종은 가속화될 뿐이에요. 우리의 삶과 동떨어져 있는 기술적 접근은 사실 기후위기로부터 안전한 미래를 담보해주지 않죠. 멸종반란한국의 활동은 통상적인 삶에 균열을 내고, 진실을 폭로하고, 사람들에게 경각심을 일으키는 하나의 방법으로 등장하게 되었어요. '멸종반란 금요일 모임'은 이러한 취지에 공감하고, 이 커뮤니티 안으로 많은 분이 들어올 수 있도록 대중성을 확보하는 자리였던 것 같아요.

Q. 멸종반란Extincion Rebellion은 국제 네트워크에 기반을 둔

단체이죠. 멸종반란한국이 그 안에서 일종의 한국 지부 형태를
띠고 있는 건가요?

벌새 멸종반란 글로벌은 연락처가 열려 있어요. 누구나 자신
의 지역에서 멸종반란 활동을 하고 싶다면, 멸종반란의 이름으
로 할 수 있어요. 그래서 시작하기 어렵지 않았던 것 같고요. 멸
종반란 안에 글로벌 서포트 팀이 있어서 세계 각지에서 오는 요
청이나 자원을 배분하고, 운동이 일관성을 가질 수 있도록 구심
점 역할을 하고 있어요.

Q. 누구나 내가 사는 곳에서 멸종반란 활동을 만들 수 있다는
점이 인상 깊어요. 한국에서 멸종반란 운동은 어떤 지역이나 부
문으로 확대되고 있나요?

벌새 멸종반란에는 'DNA 세션'이라고 있는데요. 멸종반란의
목표, 전략, 원칙, 가치를 소개하는 자리에요. 그중 중요하게 여
기는 가치로 분권화와 탈중심화가 있어요. 멸종반란이라는 글
로벌 단체가 존재하긴 하지만, 글로벌이 내세우는 가치를 그대
로 수입해서 쓰는 것이 아니라 자신만의 해석을 거치고 자기 언
어로 만들어서 함께 나누는 과정이 중요하거든요. 그렇게 할 때
진심으로, 또 역동적으로 활동할 수 있다고 생각해요. 하지만 현
재는 아무래도 현안이 수도권 중심으로 급박하게 돌아가다 보
니 다양한 지역에서 멸종반란의 움직임이 나타나지는 않은 상
태예요. 시도는 많이 했어요. 이야기를 나누는 자리도 만들고,

요청이 오면 달려가서 경험을 나눠왔는데요. 현재 한국에는 멸종반란한국 외에 멸종반란가톨릭이 등장했어요. 아주 열심히 활동하고 계세요.

Q. 단체의 이름에도 나타난 '멸종'에 대해 좀 더 이야기 나눠 보고 싶어요. 멸종을 강조함으로써 전하고자 하는 메시지가 있다면 무엇일까요?

희음 우리 사회가 인간 중심으로 돌아가고 있잖아요. 인간이 채굴하고, 개발하고, 무분별하게 착취한 현장이 지금 문제로 드러나고 있고, 그 결과가 기후생태위기라고 할 수 있는데요. 그것 때문에 피해를 보는 존재는 도시 밖의 존재이기도 하고, 비인간 동물이기도 한 거죠. 특히 인간 이외의 존재들, 목소리가 없다고 여겨지는 존재들이 그 피해를 고스란히 입고 있잖아요. 그래서 타자화된 존재를 더 가시화하고, 그들의 목소리를 빌리거나, 그들과 함께 멸종에 저항해야 할 필요가 있는 시기라는 의미에서 멸종이라는 말을 중요하게 다루게 되었다고 생각해요.

벌새 사실 멸종이라는 말이 반가운 단어는 아니잖아요. 멸종반란한국이 처음 내걸었던 슬로건 중 하나가 "사실을 말해라 Tell the Truth"였는데요. 사실 이렇게 도시 안에 있으면 안전하고 멸종 자체를 느끼긴 어렵죠. 도시 밖에 있는 사람들 혹은 어느 민족은 절멸하기도 하고, 어떤 생명종이 사라지기도 하는데 말이죠. 산사태나 산불이 나서 한 마을이 사라지는 것도 멸종이라고 할 수 있죠. 그런 점에서 멸종이라는 말은, 멸종이 우리의 현실이고 지금도 일어나고 있다는 점을 일깨워주는 일인 것 같아요. 모든 존재와 함께 연결되어 있다는 의미이기도 하고요.

희음 저희가 이 인터뷰에 대한 답을 다 같이 준비했거든요. 멸종에 관한 다른 활동가의 말도 여기에 옮겨두고 싶어요. "멸종반란이라고 할 때 흔히들 멸종이라는 말이 강력하다 보니 멸종에 방점을 찍게 되는데, 사실은 활동하면서 방점을 찍는 단어는 반란이다. 멸종을 받아들이고 그 진실을 아는 데 그치는 것이 아니라, 현재의 정치체제에 순응하지 않고 지금의 사회 질서를 뒤집어야 한다. 조금이라도 멸종을 멈추거나 그것에 저항하는 행동을 한다는 의미에서 멸종반란은 반란에 방점을 찍는다"라고요.

돈이나 기술이 없이도 몸으로 하는 저항, 비폭력 직접행동

Q. 말씀하신 것처럼 '반란'을 강조할 때, 멸종반란은 전략적으로 비폭력시민 불복종 운동을 택해왔어요. 2020년에는 장기저탄소발전전략LEDS 공청회를 규탄하며 국회의사당 정문에 목을 걸었고, 2021년에는 P4G 서울 정상회의의 그린 워싱을 고발하며 DDP 앞을 점거하기도 했습니다. 이러한 급진적 방식에는 청원, 로비, 피켓 시위 등 전통적 운동 방식의 한계에 대한 문제

의식도 담겨 있을 텐데요. 기후 운동 안에서 이러한 전략이 어떤 효과와 의미가 있다고 생각하나요?

벌새 사실 멸종반란한국이 직접행동을 택한 것은 그게 가장 효과적일 거라는 전략적 판단도 있었지만, 한편으로는 매우 급하게 돌아가는 상황들 때문이기도 했어요. 가덕도신공항 특별법이 통과될 때나, P4G에서 기업들을 초대하면서 헛소리를 할 때 그것에 대해 직접적인 제동을 걸어야 하는데 청원, 법안 발의 요구 등 기존의 온건한 방식으로는 우리의 목소리를 전달할 수 없는 상황이었던 거죠. 사실상 정말 막아야 하는 것을 막기 위한 유일한 선택지가 직접행동이었던 것 같아요. 이 행동 자체가 가진 의미도 있는데요. 우리 몸으로 저항하는 거잖아요. 돈이나 기술이 없어도 누구나 최전선 당사자들이 할 수 있는 활동인 것 같기도 해요. 한편으로는 멸종반란한국이 비폭력 직접행동을 주요하게 채택하긴 했지만, 그 자체가 목적은 아니거든요. 다양한 사람을 초대해 이야기 나누고, 함께 활동하고, 놀기도 하는 여러 수단 중에 비폭력 직접 행동이 있는 거죠.

희음 질문을 들으니 재판 당사자들이 심문을 받을 때 판사가 했던 질문이 떠오르는데요. "다른 방법은 없었나? 왜 그렇게 시끄러운 방식, 합법적이지 않은 방식을 택했느냐?" 아무리 말을 해도 듣지 않았으니까요. 가덕도신공항 건설 계획은 계속 추진되고 거기에 거대 정당이었던 더불어민주당이 특별법까지 발의해서 통과를 시켰잖아요. 계속 말을 해왔는데 오히려 시민의 요구에 반하는 결과가 나온 거죠. 그러니까 기존의 말하기 방식과는 다르게, 좀 더 잘 들리는 방식으로, 사람들이 조금이라도 귀 기울이도록 하고, 왜 저렇게 하는 거지, 라는 질문을 던질 수 있는 방식의 행동이 필요했어요. 비폭력 직접행동은 사회 운동에서 전통적으로 중요한 방식이기도 하고요.

Q. 급진적 직접행동이라는 전략이 기후 운동에 새로운 흐름을 만들었다고 생각해요. 사회적 반향이 즉각적인 만큼 백래시에 대한 우려나, 위법 행위에 대한 긴장도 느끼실 것 같고요. 전략적으로는 대중의 관심을 끌고 긴급한 상황을 지연시키지만, 동시에 너무 극단적이라는 평가도 존재하는데요. 이러한 반응을 체감하나요?

벌새　백래시 자체에 대해서는 마틴 루터킹Martin Luther King도 말했듯, 운동이 잘 흘러가고 있다는 지표로 삼을 수 있다고 봐요. 사회 발전 과정에서 올바른 방향을 돌아볼 때 백래시는 항상 있었잖아요. 그래서 멸종반란은 백래시 자체에는 아직 큰 의미를 두진 않고 있어요. 물론 힘들지만요. 지금까지 직접행동을 할 수 있는 구성원은 거의 다 했어요. 한 사람이 계속 직접행동을 하면 형량이 높아지거나 가중 처벌이 있을 수도 있기 때문에 지속 가능하지 않다는 문제의식을 공유하고 있는데요. 동시에 멸종반란한국은 사회에 더 많은 직접행동이 필요하다는 급박함도 느끼고 있거든요. 그 사이에서 지금은 고민을 나누고 있는 상태예요.

Q. 직접행동을 하다 보면 재판을 받기도 하고, 물리적으로 위험한 상황이 연출되기도 해요. 직접행동을 위한 사전 준비나 마음가짐을 공유하는 별도의 시간이 따로 마련되어 있나요?

벌새   직접행동에 앞서 트레이닝을 진행하기도 해요. 어떤 방법론적 접근이라기보다는 멸종반란한국의 기조에 가까워요. 저희가 직접행동을 하면서 경찰이나 시민과 부대끼게 되더라도 인신공격이나 감정적인 표출은 배제하고 최대한 비폭력적으로 전달하려고 하거든요. 그게 그들을 위한 것이기도 하지만 저희를 위한 것이기도 해요. 내 주변의 사람과 불화한 경험은 상처로 남잖아요. 비폭력의 원칙을 지키는 일이 곧 저희를 지키는 것이기도 한 것 같아요. 실질적 차원으로는 액션 전에 항상 리허설을 하고요. 법적인 위험을 갖게 될 수 있다는 사실을 참여자에게 주지시켜요. 상황을 모르는 채로 끌려가는 게 아니라 모든 것을 알고 스스로 결정을 내릴 수 있도록 대화를 충분히 하는데 애쓰고 있어요.

Q. 결국 직접행동을 통해 변화를 만들기 위해서는 다양한 주체와 목소리의 결합이 필요하다는 생각도 들어요. 역사상 변화를 이끈 불복종 행동을 보면 정치적 고조와 조직이라는 큰 흐름 안에서 대규모의 행동을 끌어냈던 것 같고요. 조직의 확장과 필요성에 관해 어떤 고민을 하고 있나요?

벌새   사실 멸종반란한국이 직접행동으로 알려졌지만, 실제 저희의 바탕을 이루고 있는 것은 일상적인 활동이 많아요. 시상식을 컨셉으로 기후위기의 악당을 풍자하기도 하고, '지구를 위한 소풍'이라는 이름으로 요가나 춤을 추면서 잔디밭에 구르며 다 같이 놀기도 하고요. 멸종반란한국이 직접행동을 하지 않을 때는 무해한 이미지가 있어요. 급진적인 이야기를 말랑말랑하게 하면서 의제를 확산시키는 역할도 중요하다고 생각해요. 직접행동은 겉으로 드러나는 일부이고요. 직접행동에 앞서서 일종의 절차로서 그 의제에 대해 말할 수 있는 자리를 충분히 만들고, 비판적인 선전을 한 후에 직접행동에 들어가요. 토론회나 강연 자리를 만들 때도, 강연자가 와서 이야기하고 끝나는 게 아니라 항상 참여한 사람들에게 말을 걸어요. 어떻게 생각하세요? 그러면서 자신의 입으로 목소리를 내는 과정에서 변화가 일어난다고 생각해요.

희음 벌새 님의 이야기를 듣다 보니 저 역시 멸종반란한국의 구성원이 되기 전, 좋았던 경험에 대해 나누고 싶은데요. 제가 참석했던 '기후정의는 젠더정의이다'라는 포럼에서 다 같이 이야기를 나누는 자리가 있었어요. 저는 이야기를 들으러 간 사람인데, 어느 순간 제 이야기를 하고 있더라고요. 한 사람이 마이크를 독점적으로 쥐는 자리가 아니었던 거죠. 저는 이런 과정이 기후 운동의 주체를 만드는 과정이라고 생각해요. 직접 경험하게 함으로써, 얼마나 중요한지 말로 강조하지 않아도 감각하게 하는 거죠. 그런 힘이 멸종반란한국에 있어요. 지금까지는 특별하고 똑똑해 보이는 사람들이 마이크를 쥐어 왔다면, 그 구조에 대해 생각해보게 하는 장을 만들고 기후생태위기와, 이 위기를 초래한 시스템에 저항하고 질문하는 과정을 거침으로써 자연스럽게 스스로를 목소리의 주체, 변화를 만드는 주체로 여기게 하는 힘 말이에요.

Q. 영국의 멸종반란은 2022년 연행자 3,000명을 목표로 대규모 집중 행동을 기획했다가 달성되지 않자, 2023년 직접행동을 중단하는 대신 10만 명의 연속적 대규모 집회로 의회를 압박하기도 했어요. 이처럼 전략의 수정이나 새로운 기획과 관련해 멸종반란한국은 현재 어떤 고민을 하고 있는지 궁금해요.

벌새 한국은 영국의 멸종반란처럼 잘 알려진 상황이 아니기에 문제의식이 조금 다를 수밖에 없는데요. 멸종반란한국은 여전히 소수의 힘으로 활동하고 있고, 직접행동에 관한 시각도 다른 상황이죠. 더불어 지난 1년간 안전한 공동체 만들기에 집중하면서 정치적인 액션은 잠시 쉬고 있었는데요. 그 과정에서 구성원을 잃기도 하고, 현안에 뒤처진 면도 있고요. 최근의 멸종반란한국 워크숍에서 우리는 활동을 처음부터 다시 시작하는 거라는 이야기를 나눈 적이 있어요. 어떻게 다시 운동의 물결을 사람들과 함께 살릴 수 있을까, 고민을 재정립하는 시기라는 생각이 들어요.

희음 벌새 님이 말씀하신 것처럼 일단 한국의 운동 정세는 영국과는 매우 다르죠. 사회적 분위기만 보더라도, 직접행동이 벌어지면, 이에 대한 말들이 들끓어야 하는데, 그조차 잘 안되는 상황이니까요. 한국 사회에서 직접행동으로 어느 정도 잔뼈가 굵었다고 할만한 운동은 전국장애인차별철폐연대나 전국민주노동조합총연맹(이하 민주노총)이 일군 운동 정도밖에 없는 것 같아요. 이들의 행보에 대해 사람들이 열심히 비난을 해대기도 하고, 때론 토론의 자리가 열리기도 하니까요. 영국은 대규모 조직이 가능해졌기 때문에, 어떤 면에서는 더 이상 직접행동을 안 해도 되는 거죠. 한국도 2022년 '924 기후정의행진'에는 3만 5천 명 정도 모였고, 그 이후로 매년 9월에 대규모 기후 집회와 시민 행동이 열리고 있어요. 그 힘을 받아서 서울이 아닌, 정부 부처가 자리 잡고 있는 세종시에서 '414 기후정의파업'도 열렸고요. 파업이라는 이름을 걸고 조직하는 게 가능했던 이유는 그래도 어느 정도 사람들의 관심이 쏠렸기 때문일 텐데요. 그런 관심을 더 만들기 위해서는 더 많은 직접행동이 필요하다고 생각해요. 멸종반란한국도 다시 조금씩 직접행동의 장을 만들어보려고 해요.

Q. 2020년 국회 앞 기습 시위에서 멸종반란한국이 내건 슬로건은 '2025 탄소중립 선언, 즉각 행동에 나서라'였어요. 하지만 구호를 외치면서도 실제 국회의원이 각성해서 즉각 법안을 신속하게 처리하리라 기대하긴 어렵잖아요. 멸종반란한국은 어디에서 활동의 동력을 발견하고 운동의 의미를 찾는지 궁금해요.

희음　최근 저의 고민과 통하기도 해서 참 반가운 질문이에요.

오래 활동해온 분들에게는 절박한 질문일 것 같기도 하고요. 아무리 시스템이 잘못되었다고 계속 이야기해도 말이 더는 먹히지 않는다고 느껴질 때 운동을 왜 해야 할까, 하는 질문을 저도 스스로에게 해보게 되는데요. 그럴 때 사실 기대어 가는 부분은 사람들이에요. 우리 사회가 정말 희망이 안 보이고 완전히 시궁창 같더라도, 누군가 새로운 사람이 변화를 만들겠다고 등장하잖아요? 그런 게 기댈 힘 아닌가 싶어요. 내가 좋아하는 저 사람이 운동을 하고 있다면 영향을 받게 되고 같은 길을 걸어보게도 되고, 그러면서 서로에게 기대어서 가게 되죠. 미약하지만 조금씩 하다 보면 변화가 커지지 않을까, 이런 터무니 없는 희망도 품게 되고요. 저에게 동력은 그런 것 같아요.

벌새 저 개인적으로 멸종반란한국이 지속할 수 있는 동력은 관계를 구축하는 데에 있다는 생각이 들어요. 구경하는 위치나 지지자로 남는 게 아니라, 들어와서 주체가 되는 과정에서 자기 자신과의 관계를 먼저 새롭게 하고요. 그러면서 사회에서 익숙하지 않았던 돌봄이라는 개념을 배우고 실천하면서 서로 관계가 끈끈하게 쌓여요. 관계를 바탕으로 활동하면서 사회, 지구, 모든 존재와의 연결감을 느끼고 관계가 점점 넓어지는 거죠. 거기에서 오는 모종의 해방감, 고립되지 않았다는 느낌, 임파워링이 있어요. 관계 자체에서 오는 따뜻함과 편안함도요. 멸종반란한국에 찾아오는 분들이 사회 운동 경험이 많다거나, 아주 급진적으로 뭘 해야겠다고 오시는 게 아니고 되게 평범한 분들이 많아요. 이런 운동을 안 해 본 사람들이요(웃음). 그런데

도 지속해서 이 낯선 활동을 이어갈 수 있는 이유는 저는 관계
에 있다고 봐요.

가덕도신공항 특별법 저항 행동, 그리고 재판까지

Q. 멸종반란한국이 펼친 직접행동 중 현재까지 재판으로 이어
지고 있는 사건으로 가덕도신공항 특별법에 저항하는 시민 불
복종이 있어요. 2021년 3월 6명의 활동가가 더불어민주당 당사
앞에서 특별법 통과를 규탄하며 감행한 직접행동으로 연행되어
공동주거침입과 집시법 위반으로 기소되었는데요. 가덕도신공
항 특별법에 저항하는 행동을 기획하던 시기의 문제의식은 어
떠했나요?

희음 2020년 총선에서 더불어민주당이 180석을 차지하게 되
었잖아요. 180석을 앞세워 그들이 한 것은 기후 부정의한 결정
이었고요. 겉으로는 탄소중립위원회를 만들어 목표를 달성하
겠다고 하면서, 뒤로는 신공항 건설 추진을 위해 개발의 최전선
에서 앞장서서 특별법을 만들고 있었던 거죠. 그린워싱 문제를
가시화시킬 필요가 있었어요. 제가 당사자로 참여한 건 아니었
지만, 당시에 참여한 활동가들에게는 다급함이 더 앞섰던 것 같
아요. 이렇게 빠르게 추진되면 어느 순간 더는 막을 수 없겠다
는 다급함이요. 치밀하게 계획을 세워 진행했다기보단, 몸 하나
가지고 간 거죠.

사실 1심에서 벌금이 50% 정도 감형되었거든요. 그걸 받아들일 수도 있었지만, 당사자들 사이에서는 판결문이 문제적이라는 시각이 지배적이었어요. 판사는 기후위기의 심각성, 행동의 급박함은 인정했지만 여전히 행위 자체를 불법이라고 봤어요. 게다가 가덕도신공항이 왜 기후정의에 반하는지에 대한 언급은 일절 없었고요. 벌금을 받아들이지 않고 재판으로 끌고 가는 과정에서 더 많은 시민의 관심이 모였어요. 재판 과정에서 탄원서가 2,500장 정도 들어왔는데요. 이런 식으로 동료 시민을 만나게도 되고, 더 많은 이들이 기후정의에 관한 감각을 학습하기도 했어요. 의석수를 이용해 전 세계적으로 심각한 기후생태위기를 거슬러가면서 개발을 밀어주는 거대 정당의 민주주의 파괴 행위에 대해 목소리를 내는 행동이자, 생태 파괴에 대한 강력한 저항 행동이었다고 생각해요.

Q. 기후위기와 관련해 대응이 필요한 지역과 현장이 정말 많잖아요. 여러 개발 사업 중 왜 가덕도의 신공항 건설에 집중하게 되었나요?

벌새 가덕도신공항 특별법 반대 액션을 할 때는 멸종반란한국과 멸종저항서울이 구분되어 있었는데요. 멸종저항서울은 멸종반란한국처럼 대중성을 추구하기보단, 행동력 있는 소수의 사람이 모여 파급력 있는 액션을 하는 데 집중하고 있었어요. 그런 맥락에서 액션이 만들어졌던 것 같고요. 저 개인적으로는 멸종반란의 큰 가치 중 하나가 모두가 주인이 되는 것, 정치에 대한 갈망과 문제의식에 있다고 생각하는데요. 가덕도신공항 특별법이 통과될 때는 최소한의 논의와 절차마저 생략하면서 민주주의를 싹둑 자르는 상황이었어요. 그래서 이 액션은 가덕도를 지키기 위함도 있지만, 소수의 힘으로 권력을 장악해 학살을 가속하는 권력에 대한 저항이기도 해요.

Q. 2021년에 시작한 시민 불복종 재판이 2023년까지 이어졌어요. 지난한 시간이었을 텐데, 재판 과정은 어떠했나요?

희음 처음 1년간은 재판이 본격적으로 이뤄지지 않았어요. 긴 시간 재판 당사자들이 소진될 수밖에 없는 상황에서, 1심 판결을 두고 여러 고민이 있었어요. 결과적으로 2명이 항소를 하기로 했고, 4명은 바깥에서 지원하기로 했는데요. 항소하게 된 이유는 재판을 거치면서 말을 걸 수 있기 때문이에요. 가덕도신공항 문제에 대한 재판이 있습니다, 탄원서를 읽어주세요, 하고 지금 어떤 일이 벌어지고 있고 무엇이 문제인지 사람들에게 말을 걸어요. 다음 재판이 이어지면서 이슈를 잊어버릴 수 있는 시간을 되찾는 거죠. 방청 연대를 청하고 그걸 기록하고 외화함으로써 참여자도 기후생태위기 운동의 당사자로, 주체로 나설 수 있는 계기를 만들기도 하고요. 그렇게 세력을 넓혀가는 의미가 있는 것 같아요. 물론 그 과정에서 고통스럽고 소진되는 당사자는 존재하죠. 멸종반란한국은 계속 재판 당사자와 소통하고 서로를 돌보면서 나아가려고 해요. 멸종반란한국의 리젠 문화를 다시 살리면서요. 그 과정이 또 하나의 돌봄 운동이 되지 않을까요.

활동을 지속하는 힘, 리젠(돌봄)문화

Q. 마침 궁금했는데요. 멸종반란한국이 명시한 원칙과 가치에 있는 '리젠(돌봄)문화'가 눈에 띄었어요. 리젠(돌봄)문화는 구체적으로 무엇인가요? 실제 활동 안에서는 어떻게 작동하고 있는지도 궁금해요.

벌새 리젠문화는 리제너레이션regeneration의 줄임말인데 재생, 소생, 회복이라는 뜻이 있어요. 그 모든 의미가 한 단어로 옮겨지지 않아서 리젠이라고 표현하고 있어요. 우리가 운동하면서 때론 지치고, 다치고, 틀어지기도 하는데요. 리젠에는 그렇게 되지 않는 것이 중요한 게 아니라 그렇게 되더라도 연결되고 회복할 수 있는 문화를 지향하자는 의미가 담겨 있어요.

우리가 속한 시스템이 뭇 생명과 자연을 수단으로만 바라보고 있는데, 그러한 문화가 우리 안에도 있을 수 있잖아요. 그래서 구체적인 실천의 차원에서 기존의 위계나 폭력을 재생산하고 있지 않은지 돌아봐요. 가령, 행사에서 특정 성별이 과대표되진 않는지 점검한다거나, 하나의 현안에 매몰되기보다는 지역, 노동, 비인간 동물의 이야기를 담으려 하기도 하고요. 운동을 지속하는 힘 중 하나예요. 자연과의 연결, 타인과의 연결, 세상과 연결되었다는 느낌이 회복과 건강함을 돌려준다고 생각해요.

　멸종반란한국은 동료와의 관계와 돌봄을 중시하는 편인데요. 회의를 할 때 서로의 상태를 확인하고 시작한다거나, 때론 짝꿍 제도를 만들어서 누군가 소외되지 않게끔 북돋아 주기도 하고요. 예를 들면 '액션 돌봄'은 직접행동 직후에 그냥 뿔뿔이 흩어지는 게 아니라 어떤 일이 일어났고 무엇을 느꼈는지 마음을 이야기하는 시간을 갖는 거예요. 저희도 사실 돌봄이 무엇인지 고민하며 만들어가는 과정에 있는 것 같아요. 멸종반란한국 회의록 상단에는 오드리 로드Audre Lorde의 말이 쓰여 있는데요. "나 자신을 돌보는 것은 이기적인 것이 아닙니다. 그것은 나를 보존하는 일이며, 정치적 투쟁의 행위입니다." 라고요. 리젠문화에 대해서는 할 말이 너무 많은데요(웃음). 가령 이렇게 생각할 수도 있어요. 내가 회의에 참석은 했지만, 너무 힘이 없어서 누워 있겠다고 하면, 누워 있는 사람에 대해 비난하지 않는 거에요. 혹은 약속시간에 그 사람이 일단 나타났다는 사실을 귀중하게 여기는 것일 수도 있고요. 그런 걸 통해 서로 연결되어 있다는 점을 끝없이 상기하고 같이 나아가고 있어요.

　Q. "돌봄은 액션을 지속하기 위한 수단이 아닌 그 자체로 하나의 저항"이라는 인식이 인상적입니다. 돌봄이라는 의제는 기후위기와 어떻게 맞닿아 있나요?

　희음　이 세계를 돌리는 핵심적인 가치이자 지표가 '성장'일 때, 그 가치 아래에서 지워지고 희생되는 존재들이 많아요. 성장이 목표일 때는 속도나 효율이 중요하죠. 성장을 가운데에 둘 때, 계산할 수 없는 수치가 있어요. 인격적인 성숙도, 보살핌의 정도, 충만함 같은 것들은 이야기되지 않아요. 특히 얼마나 투입해서 상품을 생산하고 추출할 것인가가 중심이 될 때 가장 뒷전으로 밀려나는 것은 비인간 존재의 삶과 그 삶을 유지하는 것들이에요. 성장이 아닌, 돌봄을 중심에 두는 것은 시스템을 늦추는 일이기도 해요. 왜냐하면 돌봄을 이야기하면서는 절대 빨리 앞으로 나아갈 수 없거든요. 돌봄에는 시간이 쓰이고, 노력이 쓰이고, 마음이 쓰여야 하니까요. 기후생태위기를 조장한 자본주의와 시스템, 타자화에 저항하는 행위에는 결국 돌봄이 담길 수밖에 없다고 생각해요.

벌새   개인적으로 멸종반란한국에서 돌봄을 경험해보니, 돌봄이 좋아서 한다기보다는 없으면 안 된다는 확신이 생겼어요. 사람을 재우고 입히고 먹이는 데 돌봄이 필요하잖아요. 하다 못해 잠에 들기 위해서는 내가 나를 재워야 하죠. 나라는 인간은 온전히 홀로 존재할 수 없고 어떻게든 외부와 연결되어 있어요. 그래서 앞만 보고 성장하기 위해 무정하게 달려가기만 하는 게 아니라 상호 돌봄이 필요하다는 걸 더 많은 이들이 자각했으면 좋겠어요. 사실 돌봄 자체는 너무 지난하고 힘든 경험일 수도 있지만, 그렇게 함으로써 서로 연결되어 있다는 걸 확인할 수 있으니까요.

Q. 멸종반란한국은 지난 해, 조직 내에 접수된 젠더폭력 사건의

대응과 문화를 점검하기 위해 공식적으로 대외 활동 중단을 선언했습니다. 그 과정은 어떻게 진행되었나요?

희음   지난해 6월부터 1년여간 대외 활동을 중단했습니다. '안전한 공동체 만들기 집중 활동'은 두 가지 축으로 진행되었는데요. 하나는 이 사건을 해결하기 위한 매뉴얼이 멸종반란한국 내에 없다는 상황이라는 걸 인지하고, 조사심의집행위원회를 세워 사건의 대응과 해결에 집중하는 축이었어요. 또 다른 축으로는 그 외의 구성원들이 문화를 돌아보고 무엇이 우리가 갖춰야 할 공통감각인지를 공부하고 문화를 다시 세우는 과정이 있었어요.

미셸 푸코Michel Foucault의 '사목 권력'이 떠오르는데요. 100명의 양이 있을 때 1명의 양이 길을 잃는다면, 나머지 99명의 양이 고생하더라도 그 1명을 찾아 나서야 한다는 개념인데요. 멸종반란한국도 그 1명의 목소리를 듣기 위해 대외 활동의 멈춤을 선언하고, 이 멈춤이 얼마나 길어질지 모르는 상황에서 공동체 전체 문화에 문제가 있었음을 알리고 한 사람의 목소리에 귀를 기울이는 시간을 가졌거든요. 이 과정이 저는 서로의 마음을 적극 살피는 일이었다고 생각해요. 멸종반란한국의 활동을 하겠다는 용기를 낸 것도 서로를 살피려는 마음이 없었다면 불가능한 일이 아닐까 싶거든요. 집행위원들이 고생을 많이 했어요. 심적으로도 굉장히 무거웠을 거예요. 모든 과정을 마치고 나서 집행위원들을 돌보는 모임을 최근에 가지기도 했어요.

Q. 멸종반란한국은 '기후생태정의운동 공동체'로 정의하고 있
던데요. 기후 운동을 만들어가는 과정에서 공동체라는 정체성
은 어떻게 작동하고 있나요?

희음 자본주의 시스템 안에서는 대개 관계 맺기는 지워지고
이해관계만 남기 쉬운 것 같아요. 이 구조를 해체할 수 있는 개
념으로서 공동체가 중요하다는 생각이 들어요. 모두가 모두에
게 기대어 있고 연결된 상태. 한 사람이 그림자가 되거나 한 사
람이 사라지면, 나머지 한 사람도 온전히 서 있을 수 없는 상태
가 지구라는 공동의 집 위에 서 있는 우리 모두의 관계성이라고
생각해요. 이걸 재사유하게 하는 것이 공동체라는 감각 아닐까
요. 물론 공동체라는 말이 여기저기서 흔하게 쓰이다 보니 개념
자체가 오염된 측면도 있지만요.

벌새 처음에는 환경 단체라는 이름에 거부감과 부담감을 느
꼈던 것 같아요. 모두 평범하게 살던 사람들인데 갑자기 단체로
서 나선다는 게 부담스러워서 대안적으로 공동체라는 이름을
택한 건데요. 그렇게 이름을 붙여 놓으니, 어떻게 하면 안전하게
이 공동체 안에 머무를 수 있을지 고민을 하고 있더라고요. 기
후정의를 향한 싸움에서 공동체라는 감각이 중요한 이유는 이
런 거라고 생각해요. 기후생태위기의 최전선에 있는 이들인 노
동자, 이주민, 여성, 지역 주민, 청년, 청소년 등 모두가 주체로
나서서 싸움을 하고 각자의 이야기를 하잖아요. 이 거대한 시스
템 앞에서 그것이 나만의 싸움이라고 생각하면 지속하기가 어

럽겠죠. 그때의 절망감은 도저히 회복 불가능할 것 같은데. 우리
가 공동체라는 이름으로 함께하고 있으며, 이 싸움이 곧 나의 싸
움이고 나의 싸움에 동료들이 함께한다는 것을 감각한다는 게
중요하다고 생각해요. 기후 운동을 조금이라도 키워가는 힘인
것 같기도 하고요.

▌기후정치를 위한 진단

Q. 현재 한국 사회에서 영향력 있는 기후정치 세력이나 움직임
이 나타나지 않는 근본적인 이유는 무엇일까요?

희음 기후정의라는 개념이 여러 사람의 입에서 굴려진 지 얼
마되지 않았다고 생각해요. 그전까지는 단순히 환경 문제라고
여겼잖아요. 식목일로 대표되는 나무 심기 운동이나 쓰레기 줍
기 운동이 있긴 했지만, 그것이 기후생태위기라는 말로 바뀐 지
는 얼마 되지 않았죠. 한국의 기후정의운동도 이 같은 용어의 전
환과 시기가 맞닿아 있는 듯해요. 여전히 기후정의는 낯설고 어
렵고 생소한 이름에 머물고 있고요.

질문을 듣자마자 중요한 질문이라는 생각과 동시에 답답함이
밀려오는데요. 저는 각자도생 사회, 자본주의와 성장 중심주의,
대통령제라는 정치 체제. 이 3가지가 가장 문제라고 생각해요.
각자도생의 사회에서는 많은 확률로 보수화될 수밖에 없어요.
제 살길을 찾아야 하니 자신의 안정을 꾀하는 게 제일 중요해지
죠. 보수화된 사람들의 마음을 얻기 위해서 정치는 현재의 상징
체계를 바꿀 필요가 없어요. 경제 성장이 이 나라를 부흥시키는
최대의 열쇠라는 믿음이 확고한 상황에서 정치권은 점점 더 보
수화될 수밖에 없고요. 여기에 대통령의 임기가 정해져 있다 보
니, 누가 집권을 하게 되느냐에 따라 정책이나 정무의 방향성도
크게 흔들리고요. 구조 자체가 문제이다 보니, 풀뿌리 운동이 아
무리 늘어나도 실질적인 변화로 이어지기 어려운 것 같아요. 내

가 아무리 더 열심히 활동한다고 해도, 이 거대한 구조가 과연 바뀔까 싶기도 하고요. 그럼에도 불구하고 옆에서 함께해주는 동료들을 믿고 계속 싸우고 있기는 하지만요.

벌새 제가 최근에 풀타임으로 일을 하게 되었거든요. 그러다 보니 활동을 저의 1순위로 여기기 쉽지 않더라고요. 현재 급박하게 돌아가는 기후위기나 정치 현안에 관심을 두기가 너무 어려운 거예요. 저는 사람들이 너무 피곤해서 자신의 주변을 볼 여력이 없다는 생각이 들어요. 그래서 노동시간 단축이 정말 중요하다는 생각이 다시금 들었어요. 돌이켜보니 멸종반란한국을 처음 만들고 활동할 당시에는 풀타임 노동을 하는 사람이 거의 드물었거든요. 일을 그만두고 쉬는 사람이라든가, 학생, 프리랜서 등 어느 정도 주변을 보고 숨쉴 수 있는 상태의 사람들이 많았던 것 같아요. 그렇게 평범하게 살던 사람들이 작은 계기로 인해서 주변을 바라보고 활동까지 이어지게 된 건데요. 이런 계기가 너무 부족하다는 생각이 들어요.

생각보다 많은 사람의 시선에 기후정의운동이 들어와 있지 않더라고요. 기후위기의 심각성은 일파만파 퍼지고 있지만, 운동적 차원에서 아직 평범한 삶을 살아가는 시민에게는 가닿지 않은 것 같아요. 가닿기 직전인 것 같기도 하고요. 기후변화에서 기후위기로, 기후위기 대응에서 기후정의로 용어를 바꿔내고 활동을 하는 사람들끼리는 의견을 벼리면서 나아가는데 그게 퍼지지가 않는 거예요. 마치 어떤 거품 속에 있는 것처럼요. 문재인 대통령이 '공정한 전환'을 이야기하고, 시청역 앞에서는 기후 악당 기업인 포스코가 '정의로운 전환'을 광고하는데, 자본과 권력이 조금씩 저희를 앞질러 간다는 느낌이 들기도 해요. 더 큰 차원으로는 전 세계적으로 양극화되는 여론의 흐름과도 관련이 있겠죠. 여론의 양극단이 있다면 중간이 볼록한 게 아니라, 중간 없이 서로의 의견이 극단적으로 갈라지는 게 현재 전 세계의 흐름이더라고요. 그런 상황 속에서는 기후정의운동도 그냥 저 멀리에 있는 누군가가 하는 것, 즉 내 일로 여겨지지 않는 측면이 있다고 생각해요.

Q. 기후정치가 확장성을 가지고 나아가기 위해서는 무엇이 필요할까요?

희음   저는 요즘에 멸종반란한국 안에서도 보편적 기본소득과 결합한 개념인 '보편적 돌봄 소득' 이야기를 하고 있는데요. 제도나 정책으로서도 중요하겠지만, 이 아이디어 자체의 확산이 중요하다는 생각이 들어요. 어느 활동가로부터 "활동하면서 나를 전혀 돌보지 못하고 있는 것 같다"는 이야기를 들었을 때 참 가슴이 아팠어요. 멸종반란한국의 활동가들은 지구라는 공동의 집 위에서 무엇이 바뀌어야 하는지에 대해 온몸으로 말하는 사람들인데 활동비가 나오는 구조가 아니다 보니 힘든 거예요. 지구와 지구 위의 인간/비인간 존재를 돌보는 사람들을 위해 무언가 필요하다는 고민 속에서 보편적 돌봄 소득을 만나게 되었어요. 개념적으로는 논문으로 먼저 알게 되었는데, 멸종반란한국의 자우 활동가가 운영하는 '십시일반 기본소득' 실험을

보면서 '와, 이거다!' 싶었어요. 십시일반 기본소득은 한 달에 5
만 원을 낼 수 있는 10명을 모아서 한 사람에게 50만 원의 활동
비를 지원하고 있어요. 이런 활동비, 혹은 돌봄 비용은 실은 사
회가 책임져야 하는 일이라고 할 수 있죠. 세상을 돌보는 이들,
나아가 이 사회에 존재하며 서로에게 의존하면서 살아가는 모
든 이들이 자신의 생존을 비롯한 최소한의 돌봄에 대해 걱정하
지 않게 될 때 기후정치가 비로소 가능해지고 온전해진다고 봐
요. 자신의 생존과 돌봄이 벼랑 끝에 있는데 타자들이 사는 세
상과 기후를 어떻게 신경쓸 수 있겠어요. 이런 고민 때문에 저
는 기후정치를 위한 기반 중 하나가 바로 보편적 돌봄 소득이 아
닐까 생각해요.

  벌새 멸종반란한국의 초창기에 가장 노력했던 부분은 기후
정의를 쉬운 언어로 만드는 것이었어요. 지금은 많이 달라졌지
만, 당시에는 기후정의라는 언어 자체가 주로 학계나 전문가를
중심으로 다뤄졌거든요. 그래서 기후정의를 이해한 사람이 자
기 입으로 직접 의견을 말할 수 있는 판을 많이 만들려고 했어
요. 하지만 안타깝게도 '기후위기 문제는 소수의 손에 맡겨져 있
다'는 프레임이 아직도 견고한 것 같아요. 그걸 깨기 위해서 기
후위기는 우리의 문제라고 우리의 언어로 말할 수 있게끔 통역
이 여전히 필요하다고 생각해요.
  기후 정치의 확장성에 대해 고민할 때 기후 운동을 하면서 겪
는 딜레마도 떠오르는데요. 기후위기가 심각하다고 말할수록
운동에 뛰어들기보다는 무력감에 빠지기 쉬운 것 같거든요. '기

후위기가 심각하다'에는 모두 공감하지만, 그래서 '우리의 정치를 바꿔야 한다'고 말하면 멀어지는 거죠. 기후정치는 고사하고 정치 자체가 대중적 확장성이 없는 상황에서 어떻게 탈피할 수 있을지 고민스러워요. 모두가 정치를 생활화하는 조건 자체가 만들어져 있지 않은데, 기후정치에 아무리 씨를 뿌리고 물을 준다고 될까요. 저는 어떻게 하면 정치가 모두의 것이 되고, 모두가 주인이라는 생각으로 주체적으로 참여할 수 있게 할지 같이 고민해 보면 좋을 것 같아요.

멸종반란한국의 리젠(돌봄)문화 Regenerative Cultures

1. 리젠 문화는 멸종반란 글로벌에서 쓰는 regenerative culture의 줄임말로, 어려움을 겪거나 상처를 입은 후에도 다시 치유할 수 있고 생기를 되찾을 수 있는 문화를 만들어가자는 취지에서 시작되었습니다. 멸종반란 한국에서는 '돌봄문화'라는 용어로 번역해서 사용하고 있는데, '돌봄'이라는 말이 '리젠'의 의미를 모두 포함하지는 못해서, 리젠과 돌봄이라는 용어를 함께 사용하고 있습니다.

2. 리젠(돌봄)문화는, 변화를 위해 함께 일하는 사람들이 어떻게 하면 건강하고, 회복력 있으며, 끊임없이 새롭게 태어나는 공동체를 만들어갈 수 있는지를 살피고 고민합니다.

3. 리젠(돌봄)문화는 운동의 가장 큰 자산이 사람이라는 통렬한 깨달음에서 출발합니다. 반짝이는 눈빛과 두근대는 심장을 가졌던 활동가들이 소진해서 떠나버리는 것이, 운동의 가장 큰 상실이라는 뼈아픈 경험에서 출발합니다. 우리는, 힘들면 힘들다고 말할 수 있고, 아프면 아프다고 말할 수 있는 문화를 만들어가고자 합니다. 불완전한 모습으로 실패해도 되는 경험을 허락하고자 합니다.

4. 리젠(돌봄)문화 안에서 우리는 사람들의 쉼과 선택의 자율성을 존중하되, 공동체 안에서 일의 효율성이 균형을 이룰 수 있는 방법을 함께 고민합니다.

5. 리젠(돌봄)문화는 멸종 반란의 가장 중요한 기반이 되는 가치입니다. 리젠(돌봄)문화는 반란을 위한 액션을 넘어서 우선하며 우리를 지탱해줍니다. 돌봄은 지치지 않고 액션을 계속하기 위한 도구적인 수단이 아니라, 지구를 살아가는 인류로써의 신성한 의무입니다. 그러므로 비폭력 직접행동을 통해 우리가 원하는 바를 모두 이룬 후에도 돌봄은 계속됩니다.

6. 기후위기와 생태계 파괴는 돌봄과 연결의 가치를 잃어버리고 눈앞의 편리함과

이익만을 위해서 달려왔기 때문임을 기억합니다. 돌봄은 지구상 모든 생명이 함께 행복할 수 있는 미래를 만들어 나갈 수 있는 귀중한 방법임을 인식합니다.

7. 리젠(돌봄)문화의 시작은 자기 자신을 정성스럽게 살피고 돌보는 것입니다. 스스로를 돌볼 수 있을 때, 함께하는 사람들을 돌볼 수 있고, 더 큰 인류의 공동체와 비인간 동식물, 나아가서 지구 전체를 돌볼 수 있습니다.

8. 리젠(돌봄)문화 안에서 우리는, 기후위기와 생태적 붕괴를 초래한 현재의 시스템 그 안에서 살고 있는 나 자신과 공동체, 지구 전체에 해롭다는 것을 인식합니다.

9. 우리는 돌봄(리젠)문화 안에서 기존의 기후운동과 다른 접근법을 추구합니다. 멸종반란 한국은 매번의 만남, 회의, 액션 하나하나 안에 우리가 살고 싶은 세상의 모습을 구현하기 위해 노력할 것입니다. 이를 위해 우리는 기존의 시스템 안에 내면화되어 있는 권위주의와 차별을 적극적으로 인식하고 해체합니다. 새로운 시스템과 사고방식, 존재의 방식이 자리잡도록 마음을 모읍니다.

10. 우리는 혼자가 아니며, 거대한 생명의 그물망 안에서 함께 연결된 존재라는 감각이 언제나 생생하게 살아있기를 바랍니다. 인류와 자연, 지구상의 비인간 가족들이 더 깊이 서로를 존중하는 진정한 관계를 맺을 수 있기를 바랍니다.

11. 리젠(돌봄)문화 안에서 우리는 한걸음씩 앞으로 나아갑니다. 개인을 넘어 공동체로써 함께 치유하고 성장하기위해 작은 발걸음들을 내딛습니다.

12. 돌봄(리젠)문화의 목적은, 멸종반란을 넘어서 사회전체에 회복력있고 생기있는 새로운 문화가 퍼져나가도록 하는 것입니다. 이 새로운 문화는 변화하는 세상을 통과해야만 하는 인류의 생존에 큰 힘이 될 것입니다.

13. 리젠(돌봄)문화 안에서 우리는 활동가들이 연결되어있는 모임 그 이상입니다. 우리는 긍정적인 변화를 위해 행동하고 평화롭게 존재하는 방법을 찾고자합니다. 모두의 창의성과 재능, 성장이 한데 어우러지는 풍부하고 영감 넘치는 공간이 되기를 바랍니다.

14. 리젠(돌봄)문화에 대한 고정된 하나의 정의는 없습니다. 멸종반란 한국안에서 이루어지는 매번의 만남, 회의, 액션 하나하나를 통해 리젠(돌봄)문화를 만들어 갈 것입니다. 돌봄문화는 살아서 진화하는 유기체같은 것입니다.

차별과 편견을 넘어 함께 회복하는 기후운동 공동체를 위한 약속문

1. 우리는 서로를 존중하고 배려합니다. 종(species), 인종, 성별, 성 정체성, 성적 지향, 장애 및 질병 유무, 출신(국가, 지역 등), 연령, 외양, 사회 경제적 상황 및 지위, 종교, 또는 기타 정체성 요인 등에 관해 정상성의 기준을 세우고 판단하거나 표현하지 않습니다.

2. 멸종반란한국(이하 멸반)은 우리의 모든 활동(액션, 공동체구성, 행사 등)과 우리가 생산하는 콘텐츠에 대하여 차별 및 혐오, 편견을 재생산하는 요소가 없는지 적극적으로 성찰합니다.

3. 우리는 미처 인식하지 못하고 당연히 여겨온 차별 및 혐오, 편견을 재생산하는 말과 행동에 대해 문제를 제기하는 일이 얼마나 큰 용기를 필요로 하는 일인지 깊이 이해하고 공감합니다.

4. 우리는 차별 및 혐오, 편견을 재생산하는 요소에 대해 문제제기를 하는 공동체 구성원의 용기에 고마움과 지지를 보냅니다.

5. 우리 모두는 차별과 편견을 재생산해온 시스템 속에 살고 있기에, 우리도 모르는 사이에 세심하게 살피지 못하고 실수할 수 있는 존재임을 인식하고, 그런 스스로를 비난하지 않습니다.

6. 우리는 이 논의를 마주할때 생기는, 혹시라도 내가 누군가에게 상처를 주게 되지나 않을까하는 불안감과 긴장감, 부담감, 불편함을 깊이 이해하고 공감합니다.

7. 우리가 지향하는 존중, 그리고 지양하는 차별에 대해 행사나 회의등 모임이 있을때마다 가능한 분명하게, 자주, 공유함으로써 일상의 문화를 만들어갑니다.

8. 차별 및 혐오의 표현 또는 행위가 발생할 경우에는, 개인적으로 피드백을 주는 방식과 공개적으로 짚고 넘어가는 방식 등 중에서 상황과 맥락에 맞게 가장 적합한 방식을 고민합니다. 이때 피드백을 받은 사람이 수치심이나 두려움을 갖고 운동 공동체에서 멀어지거나 떠나가는 상황보다 자신이 받은 피드백을 진심으로 수용할 수 있도록 섬세하게 소통하는 방법을 고민합니다.

9. 우리는 여성들의 말하기, 소수자들의 말하기를 지지합니다. 공동체내에서 자연스럽게 여성 스피커가 성장할 수 있는 환경을 만들기 위해 의식적으로 노력합니다.

10. 우리는 서로의 불완전한 모습을 인정하고, 변화의 가능성을 신뢰하면서, 안전하고 회복력있는 공동체를 향해갑니다. 차별 및 혐오, 편견을 재생산하는 말과 행동에 대해 언제나 깨어있되, 판단과 평가, 비난, 충고하기보다는 공동체로써 함께 변화하고 성장하는 방법을 찾습니다. 우리는 이곳이, 너무나 다른 사람들이, 다름에도 함께할 수 있는 곳이 되기를 꿈꿉니다.*

* 우리의 약속 10번은 '새벽이생추어리 보듬이 약속문'을 참고했습니다.

이제 시작된 논의, 우리가 원하는 대안

"구상나무와 가문비나무는 (사람의) 말을 못합니다.
누군가는 그 이야기를 해줘야 할 것 같습니다."

출처. 녹색연합 '기후위기의 증인들' 페이지

황인철

녹색연합
전 기후위기비상행동 집행위원장

"지금 여기가 맨 앞." 녹색연합은 기후위기가 초래한 변화와 불평등을 온몸으로 겪고 있는 기후위기의 증언을 수집한다. 바다에서, 땅에서, 하늘에서, 삶터에서, 재난의 한복판에서 증언이 쏟아진다. '꽉꽉하고 찍깍했던 제주 바다의 어제와 오늘'이 해녀의 목소리로, '중첩된 취약성'에 놓여 있는 삶이 여성 홈리스의 언어로, 포도와 감과 고추가 더 이상 충분히 수확되지 않는 날씨가 농민의 말로 기록된다. 인간의 말과 입을 가지고 있지 않은 구상나무와 가문비나무의 증언도 놓치지 않는다. 녹색연합이 2019년부터 진행해온 프로젝트인 '기후위기의 증인들'이다.

1991년 창립한 녹색연합은 30년이 넘게 한국의 대표적인 환경 단체로 자리를 지켰다. 녹색연합의 활동사를 훑어보면 '기후위기'와 '기후정의'라는 말이 등장하기 전부터 '자연과 사람이 조화로운 사회'를 그려온 한국 기후 운동의 흐름을 읽을 수 있다. 녹색연합은 야생동물과 그들의 서식지를 보전하는 한편, 새만금 간척 사업, 4대강 사업, 설악산 오색 케이블카, 핵폐기장 건설 논란이 일었던 굴업도까지 발로 뛰며 현장을 지켜왔다. 긴밀한 연대와 소통, 공동의 힘과 대응이 필요한 자리를 열고 그 안에서 주요한 역할과 실무를 도맡아 왔다.

2019년 전 세계적으로 기후위기에 대한 적극적인 대응을 요구하는 청소년의 목소리가 거리에 퍼졌다. 한국에서도 힘을 모을 공간이 필요하다는 판단 속에 '기후위기비상행동'이라는 연대체가 출범했다. 환경 단체뿐만 아니라 종교, 노동, 인권 등 광범위한 영역의 단체와 개인이 기후위기비상행동에 결합했다. 녹색연합은 기후위기비상행동의 주요 실무를 맡아 굵직한 활동을 만들고 연결하는 역할을 도맡아 왔다. 그렇게 2019년 9월 한국에서 '기후가 위기'라고 외치는 대규모의 첫 대중 행동이 열렸다. 기후위기를 주제로 한 집회에는 전국적으로 7,000여 명의 시민이 모였다. 2019년 기후위기비상행동의 핵심 요구안은 3가지로 요약된다. 기후 비상 선언, 온실가스 배출 제로 정책 수립, 독립적인 국가 기구의 설치. 2020년 국회는 '기후위기 비상상황 대응 결의안'을 채택했고, 2021년 탄소중립위원회를 구성해 '기후위기 대응을 위한 탄소중립/녹색성장 기본법'이 국회에서 통과되었다. 기후위기비상행동이 만든 성과이기도 하지만, 동시에 형식적 수준의 성취라는 비판에 직면하기도 했다.

기후변화에서 기후위기로, 더 나아가 기후정의로 한국의 기후 운동이 진화하는 동안 2019년 9월 시작된 대중 행동은 계속 이어지고 있다. 2022년 '924 기후정의행진'은 코로나로 3년 만에 열렸지만, 35,000명의 시민이 참여한 한국 기후 운동 사상 가장 큰 규모의 행사로 치러졌다. 그사이 새로운 연대체인 '기후정의동맹'이 출범했고, 자신의 목소리로 기후위기를 말하는 크고 작은 단체와 모임이 늘어났다. 빠르게 바뀌는 상황 속에서 녹색연합은 시민 사회 단체, 환경 단체로서의 위치성을 인지하며 필요한 역할을 찾고 만들고 연결하는 중이다. 14년 동안 녹색연합에서 활동하며 2019

년부터 2년간 기후위기비상행동의 공동집행위원장을 맡아온 황인철 활동가를 만났다. 기후위기비상행동의 탄생 배경부터 시민 사회 단체와 제도 정치와의 관계 정립까지 오래 묵혀둔 과제 같던 이야기를 나눴다.

기후 운동과 대중성의 복원

Q. 기후위기비상행동에서 녹색연합이 수행했던 역할은 무엇이었나요?

기후위기비상행동은 2019년에 만들어졌는데요. 한국에 아직 기후 운동과 관련한 연대기구가 없는 상태에서 9월에 집회를 준비하면서 많은 단위가 모였고, 광범위한 연대기구가 만들어졌죠. 초기부터 여러 논의를 중심적으로 같이 했어요. 그때 전체 참여 단체가 모이는 회의가 있었고, 운영위원회, 집행위원회가 있었어요. 운영위원회는 두어 달에 한 번씩 모이고 집행위원회는 상시로 모였는데, 녹색연합이 초기부터 운영위원회와 집행위원회에 참여했고, 2년 동안 녹색연합이 사무국 역할을 하면서 제가 집행위원장을 했죠.

Q. 2019년만 해도 기후위기비상행동이 기후 운동 안에서 주요한 연대체였다면, 지금은 운동 진영이 어느 정도 분화가 되었고 다양한 전략이 이야기되고 있어요. 현재 기후 운동 안에서 기후위기비상행동의 역할을 어떻게 보고 있는지 궁금합니다.

현재 기후위기비상행동의 위치는 광범위하게 포괄하는 네트워크죠. 그 안에는 다양한 생각과 입장을 가진 단체들이 모여 있어요. 모든 단체의 입장이 똑같지는 않지만, 현재 기후 운동이 나가야 할 방향이나 입장에 대해서 조금 더 앞선 이야기들을 집행부에서는 계속 이야기하고 끌고 왔다고 생각해요. 기후정의 운동의 방향들을 비상행동 안에서도 계속 논의해 왔어요. 그걸 어떻게 대중적으로 확산할 것인지와 관련한 논의도 있었고요.

기후위기비상행동의 경우는 웬만한 광역지자체 그리고 일부 기초지자체까지 조직이 만들어져 있어요. 풀뿌리까지 광범위하게 대중화된 네트워크인데, 그런 위치에서 무엇을 할 것인가는 고민이에요. 최근 몇 년 동안 달려왔는데, 어떤 역할과 위치가 필요한가에 대한 고민과 모색을 하는 과정에 있어요.

Q. 지역의 풀뿌리 네트워크가 기후위기비상행동이라는 이름으로 전국적으로 모일 수 있는 이유가 있다면 무엇이었을까요?

2019년 처음 만들어졌을 때 전국의 많은 단체들이 들어왔는데요. 기후위기비상행동의 초반 주요 사업이 교육과 조직이었어요. 전국에서 기후행동학교가 진행되면서 각 지역에서 네트워크가 형성된 거죠. 지역 안에서 무엇이라도 해야겠다는 움직임들이 모여서 자연스럽게 기후위기비상행동이라는 틀 안에서 네트워크가 형성되었어요. 그만큼 지역에서 기후 운동에 대한 요구와 필요성이 많았기 때문이 아닌가 싶어요.

Q. 기후위기비상행동이 꾸려질 때, 녹색연합이 많은 역할을 했는데요. 환경 단체로서 기후위기에 대응하는 활동에 대해서 어떤 논의가 진행되고 있나요?

녹색연합이 2년간 사무국 단체를 한 이후, 그 역할을 단체들이 돌아가면서 맡는 간사 단체로 전환되었어요. 녹색연합은 현재 기후위기비상행동의 운영위원회와 기획단에 계속 참여하고 있고요. 지금은 기후정의의 내용을 구체화하는 게 필요한 것 같아요. 단순한 재생에너지 확대가 아니라 공공성을 강화하는 방식이 필요하다면, 그걸 위해서 무엇을 어떻게 해야 하는지 내용을 만들어 가야 하죠. 녹색연합은 기후정의 세미나를 진행하기도 하고, 운동간의 교차성을 가진 새로운 의제를 발굴하기도 해요. 작년에는 군사 부문의 기후위기 책임과 관련해 한국의 탄소 배출 정보를 파악하고 군사주의가 기후위기에 어떤 영향을 미치는지 조사를 진행했어요. 기후와 평화 운동이 만날 수 있는 지점이기도 하고, 새로운 의제 발굴이기도 해요. 기후정의의 내용이 무엇이고 그것을 위한 경로와 전략은 무엇인지를 구체화하는 단계에 있는데, 녹색연합 같은 단체가 더 역할을 해야한다고 생각해요.

그리고 대중의 지지나 참여가 중요한데요. 녹색연합의 회원들이 단순 후원 이상의 활동을 하면 좋겠죠. 하지만 그걸 갑자기 끌어내는 건 한계가 있다고 봐요. 대중행동의 복원이라는 게 녹색연합이라는 일종의 전문화된 단체가 콘텐츠와 내용을 생산하는 단위라고 한다면, 대중조직력을 가지고 있는 생협이나 노조 같은 단위와 만나는 공간이 필요한 거죠. 녹색연합이라는 단체의 회원 참여의 폭만을 늘리는 게 아니라 대중조직을 넓혀 나가는 것 역시 필요하다고 생각해요.

양적으로, 질적으로 성장하고 있는 기후 운동

Q. 기후정의운동 영역 안에서 환경 단체의 역할이 변화해 왔다
고 느끼시나요?

　기후 에너지 활동, 재생 에너지 확대 등의 활동은 오래전부터
있었죠. 제가 녹색연합 들어올 때, 코펜하겐기후변화회의[1]에 활
동가들이 가기도 했어요. 2019년까지 대부분 기후 운동을 환경
이슈로 생각했고 환경 단체들 외에는 그다지 관심을 두지 않는
이슈였어요. 그러다가 후쿠시마 사고 이후 탈핵 의제가 커졌죠.
대부분의 시민 사회, 환경 운동의 에너지 관련 이슈가 탈핵으로
무게 중심이 옮겨갔어요. 그러면서 사실 기후 운동에 대한 여력
이 충분하지 않았죠. 한동안 없었어요. 녹색연합도 2018년까지
지역 에너지 활동은 있었지만, 기후 관련 활동이 많지 않았어요.
　2018년이 지나면서 그레타 툰베리Greta Thunberg 같은 청소
년 기후 운동이 등장하고, IPCC 총회 이후 1.5도 보고서가 나왔
죠. 당시만 해도 한국의 단체들이 적극적으로 대응하지 않았고,
언론보도도 별로 없었지만, 전 세계적으로 기후 운동이 굉장히
활발해지면서 한국에도 영향을 많이 미쳤고, 한국 안에서 기후
운동이 활성화를 고민하던 시기였어요. 그 이후 2019년도에 첫
대중 집회가 있었고요. 당시 전국적으로 수천 명 정도 모였는데,
기후 이슈로 그렇게 많이 모인 집회가 처음이었거든요. 갈증이
있다는 걸 확인한 거죠. 그 이후로 기후가 환경 문제만이 아니고

1　2009년 12월 덴마크 코펜하겐에서 열린 제15차 기후변화 당사국 총회이다.

다양한 인권의 문제이고 여성의 문제이고 노동의 문제라는 것을 확인할 수 있었어요. 사회 운동의 과제이자 사회 변화에 있어서 기본적인 조건이라는 인식을 가지고 다양한 운동들이 기후운동이라는 이름으로 연대하게 된 거죠.

그러면서 정부와 기업에서 탄소중립을 이야기하기 시작했어요. 2018년도만 해도 공무원들은 기후 문제에 전혀 관심이 없었어요. 국회에서 비상선언도 나왔지만, 문제가 해결되지는 않았죠. 일종의 사회 주류화는 됐지만, 필요한 조치나 정책은 이루어지지 않고 홍보에만 사용된 거죠. 그때부터 진짜 해결책이 무엇인지 운동 진영 안에서도 논의가 시작됐고, 사회적으로도 탄소중립을 말하고 기후위기가 심각하다는 말만으로는 안 된다는 인식이 확산되었어요.

기후위기가 또 다른 경제 성장의 도구로 사용되고, 기후위기를 초래한 자본에 다시 기회를 열어주는 방식은 진정한 해결책이 될 수 없어요. 기후위기 해결을 통해 사회가 더 정의롭고 평등하게 나아가는 게 아니라, 기업의 권력을 온존시켜 주는 방식이면 안 된다는 문제의식 속에서 소위 기후정의운동이 드러나기 시작했어요. 보다 다양한 단체가 기후 운동에 관심을 두고 역량을 투여하는 단계가 됐죠. 다른 영역이 축소되고 이쪽으로 왔다고 봐야 하는지는 모르겠지만, 최근 몇 년간 기후 운동 자체가 양적으로, 질적으로 굉장히 성장하고 커졌어요.

Q. 2019년과 2022년, 2023년 기후위기비상행동이 공동주최한 세 번의 대규모 집회가 있었는데요. 각각 집회의 성격이나 목

표가 달라진 점이 있다면 무엇일까요?

기후 운동의 변화 발전 과정이 2019년과 2022년 집회에서 드러난다고 생각해요. 2019년에 내세웠던 주요 슬로건은 기후위기가 심각하다는 것을 인정해라, 국가기구를 설립해라, 2050 탄소중립을 위한 정책을 마련해라 등의 내용들이었어요. 그때만 해도 기후위기가 심각하고 여기에 대처해야 한다는 사회적 인식이 우선시되었어요. 기후정의라는 인식이 없었던 것은 아니지만, 지금 말 그대로 불이 났는데 불난 상황을 인정하고 똑바로 직시하라는 게 우선이었던 거죠. 2022년 집회의 경우에는 불이 난 걸 너도나도 인정은 하는데, 그럼 불을 어떻게 끌 것이냐, 불은 누가 질렀냐, 이런 이야기로 이동했어요. 생명을 착취하는 화석연료 체제를 바꾸고 자본주의의 문제를 직접적으로 언급하면서, 모든 불평등이 위기와 긴밀하게 연결되어 있다는 방향으로 요구 사항이 변화했어요. 기후위기를 겪는 최일선의 당사자들인, 노동자, 농민, 여성, 청소년 등의 주체적인 목소리도 커졌고요. 참여 인원도 훨씬 늘었고요.

거대한 바위에 조금씩 균열을 만들기

Q. 기후 운동에는 다양한 현장의 목소리가 존재합니다. 운동의 힘이 모였을 때, 전략적으로 한두 개의 현안에 집중해 전선을 만들어 보자는 제안도 있는데요. 이런 전략에 대해선 어떻

게 생각하시나요?

가령 후쿠시마 오염수 방류를 막기 위한 전국 행동은 타겟이 명확하죠. 그런데 기후위기 대응, 기후정의는 너무 광범위한 내용이에요. 하나의 정책만 가지고 해결되는 게 아니라 정치, 사회, 경제, 문화 모든 분야에 전반적으로 광범위한 목표를 아우르는 거잖아요. 기후위기가 심각하니 대응해야 한다는데에는 동의가 되는데 기후 운동에 들어와 있는 수많은 단체는 각자 이슈가 있어요. 노동은 산업 분야의 정의로운 전환, 석탄발전 폐쇄로 인한 고용 문제가 있고요. 동물권은 축산업과 관련되어 있어요. 단체마다 다양한 이슈가 있다 보니 이중에서 우선 집중할 과제를 정하는 게 정말 어렵다는 생각을 많이 했어요.

기후위기비상행동이라는 틀에서 주요 정책 목표와 과제를 선정해 보기도 했는데, 그렇게 몇 가지 목표를 정해도 힘이 잘 안 모여요. 기후위기비상행동이 주요한 정책적 목표를 설정하지 말자는 건 아니지만, 다양한 단체들의 운동 역량이 모이는 하나의 큰 플랫폼 역할이 우선 요청되고 있다는 생각이 들어요. 그래서 각자의 이슈나 의제들이 이 네트워크 안에서 다양하게 힘을 받으면서, 같이 행동해야 할 때 틀을 만들어 주는 것, 공동의 입장을 내야 할 때 목소리를 모으고 각 단위가 가지고 있는 에너지나 역량을 서로 나누는 틀이 우선적인 역할이 아닐까 싶어요.

Q. 현재 기후 운동이 목표로 삼아야 할 대안적인 체제나 사회의 형태는 어떻게 그릴 수 있을까요?

　그걸 만들어 가야 하죠. 다양한 정책적 과제에서 어떤 것 하나를 우선 순위로 올리기 어렵다는 이야기를 드렸는데, 사실 그 모든 것이 다 필요하죠. 그것들을 단순 병렬하는 게 아니라 하나의 대안 체제라는 어떤 구조로 보여줘야 하는데, 그게 좀 비어있다고 생각하고 중요한 과제라고 봐요. 지금 기후정의운동의 체제전환은 방향은 맞는데 그게 무엇인지는 명확하게 그려지진 않아요. 개별 정책은 있어요. 삼척 석탄발전소 닫아야 하죠. 그런데 기후정의가 구현된 사회가 어떤 사회인지, 체제전환을 하면 어떤 체제로 나가야 하는지 명확한 이야기 없이 지금 기후정의운동의 체제전환은 담론 수준에 떠 있다고 봐요. 자칫 소수만의 자기 만족적인 담론으로 머무는 걸 경계해야 합니다.

　지금 구체적으로 어떤 상이 필요한지, 로드맵과 전략을 다양하게 열어놓고 이야기해야 한다고 생각해요. 과거처럼 한 번의 혁명으로 사회를 한꺼번에 뒤바꿀 수 있다는 생각은 적절하지 않은 것 같습니다. 혁명이라는 방식이 일어나지 말라는 법은 없겠지만, 체제 안에서 조금씩 바꾸는 부분도 있을 것이고, 체제 밖에서 아예 대안적인 사회적 모습을 만들어 확장시키는 사람도 있을 거예요. 다양한 전략들이 함께 가야 다양한 층의 대중이 참여할 수 있고, 거대한 바위에 조금씩 균열이 일어날 수 있어요. 한 방에 망치로 부수는 방법만 생각하면 어렵죠.

Q. 기후 운동 안에는 다양한 운동과 활동 주체가 존재하잖아요.
기후 운동 안에서 구체적인 대안 사회를 그려나가는데 있어서

필요한 것이 있다면 무엇일까요?

사실 운동 안에서도 이런 이야기가 잘 안 되고 있어요. 각각의 것들이 고립화되고 갇힌다는 느낌이 들어요. 예를 들어 사회적 경제라고 하면 하나의 대안으로 자본주의를 잠식하기 보다는, 자본주의를 유지하기 위한 하나의 장치로 전락하는 경우가 분명히 있거든요. 그래서 서로 끌어주고 묶여야 하는데, 이걸 구체적으로 어떻게 해야 하는지 명확한 답은 모르겠어요. 기후위기비상행동같이 환경 운동과 노동 운동, 농민 운동이 만나는 접점은 훨씬 많아지고 있어요. 함께 행동하면서 상호 이해도 늘고 같이 할 수 있는 것들이 만들어지고 있다고 생각해요.

가령 재생 에너지를 확대해야죠. 그런데 어디서 어떻게 확대할 것인가. 무분별하게 산의 생태계를 훼손하면서 태양광이나 풍력 발전을 할 수는 없잖아요. 큰 문제의식 없이 재생 에너지 확대하면 좋은 거잖아, 영농형 태양광 해야지, 지금 다 죽게 생겼는데 생태계 생각하면서 어떻게 해, 이런 이야기 하는 국회의원도 있어요. 그게 아니라 생태정의와 기후정의가 함께 가야 한다는 측면에서 어떻게 풀어야 할까, 그러면 농민들과 함께 고민을 나눠야죠.

소비를 많이 하는 도시나 산업단지에 한다면 유휴부지는 어디에 있을까, 철도 부지나 학교 부지는 어떨까, 그럼 철도노조나 전교조 선생님과 대안을 모색해 볼 수 있는 거죠. 과거에는 환경단체에서 이야기하고 끝났다면, 노조도 녹색단체협약 과정에서 기후위기 대응을 어떻게 담아서 사측과 협상할 것인가 고민

을 하니까 서로의 이야기를 나누는 지점이 생겨요. 그런 시도들
이 공동의 활동을 만들고 구체적인 토론으로 이어질 필요가 있
다고 생각해요. 어떤 교통 시스템, 어떤 에너지 시스템을 만들어
갈지 구체적인 쟁점으로 논의하고 토론하는 자리가 더 많아져
야 해요. 외국계 대자본이 들어와서 재생에너지 시스템을 독점
하는 걸 용인할 수는 없어요. 우리가 원하는 모습이 어떤 것인지
논의를 시작해야 하는 거죠.

  Q. 녹색연합에서 2019년부터 기후위기의 증인들이라는 이름
  으로, 농민, 해녀, 폭염에 노출된 노동자처럼 구체적인 목소리를
  발굴하는 기획을 해왔어요. 이런 개별적인 목소리가 모여서 정
  치적인 주체로 등장하기 위해서 무엇이 필요하다고 보시나요?

  답을 드리기 제일 어려운 질문이네요. 총선을 앞두고 있는데,
기존처럼 정당이나 후보한테 정책 질의하고, 기자회견을 할 수
는 있겠죠. 하지만 돌이켜보면 그런 활동의 영향력이 너무 미미
했다는 생각이 들어요. 그런 과정이 무의미한 건 아니지만, 실제
로 선거에 영향을 주지 못했어요. 낙선운동을 해야 하는지, 선
라이즈 무브먼트Sunrise Movement[2]처럼 적극적인 당선운동을
해야 하는지, 다른 어떤 게 필요할지 고민이에요. 그래서 지금
답을 드릴 단계는 못 되는 것 같고, 목소리가 모아져서 정치의
주체로 나서고, 그 목소리가 반영되어야 한다는 당위성과 방향
성은 있는데 어떻게 구현할지는 큰 고민이네요.

---

2 기후 변화에 대한 정치적 행동을 옹호하는 미국의 정치 행동 단체이다.

▋기후정치를 위한 진단

Q. 현재 한국 사회에서 영향력 있는 기후정치 세력이나 움직임이 나타나지 않는 근본적인 이유는 무엇일까요?

정치라는 게 세력화 되어있어야 의미를 갖는 거잖아요. 개개인이 이야기한다고 되는 게 아닌데, 기후에 국한하지 않더라도 양당이 독식하는 한국 정치의 구조적 문제가 크다고 봐요. 국민의 의사가 비례적으로 반영되지 않는 선거 구조 같은 것 때문에요. 정치권의 입장은 좋은 말 하는 건 알겠는데, 너희들이 표가 되냐는 거죠. 강원도에서 표 받으려면 케이블카 해야 하는 거죠. 반대하는 목소리 냈을 때, 표가 안 되잖아요. 그런 의미에서 비례성이 반영되지 않는 정치 구조가 근본적으로 문제라고 생각해요. 여론조사 보면 기후 문제를 투표의 주요 기준으로 삼겠다는 응답자가 30% 정도 나오잖아요. 그럼 그 30%만큼의 국민 의사가 국회에 반영되어야 하는데, 아니잖아요. 지금은 국회 안에서 이런 목소리 자체가 너무 작다 보니까 기후정치의 역량이 협소화되는 것 같아요.

운동과 제도 정치와의 관계 정립도 중요해요. 운동 진영에서 개별적으로 정치에 입문하는 경우가 많잖아요. 이후 어떤 변화를 불러왔는지 잘 안 보이는 거죠. 그 안에서 힘도 못 쓰고 기존 정당의 구색 갖추기처럼 되고요. 그런 의미에서 조직화된 정치 세력이 필요해요. 그게 정당일 수도 있고 다양한 그룹일 수도 있겠죠. 미국의 선라이즈 무브먼트 같은 경우에 본인들이 후보를 선정해서 적극적으로 지지를 하고 의정 활동을 감시하고 비판하는 관계를 맺잖아요. 개별적으로 영입되어서 정치에 들어가는 방식의 한계를 너무 많이 봤어요. 그런 반복은 운동 스스로 반성해야 할 문제이기도 해요. 제도 정치권이 모든 걸 해결할 수 있는 종착점처럼 되어 있고, 결국 무엇인가를 해결하려면 거기 들어가야 되는 것 아니냐는 논리가 많았는데, 시민 사회 운동을 일종의 정거장처럼 여기는 거잖아요. 제도 정치를 위한 전 단계처럼요. 저는 각자의 독자성이 있다고 생각해요. 시민 사회가 튼튼한 힘이 있고 명확한 입장이 있으면, 어떤 정당이나 정치인이든 이 힘에 반응하고 입장을 반영할 수밖에 없겠죠. 그런데 현재 정치에 영입이 되는 방식은 시민 사회 자체의 역량이나 힘을 소모시키고 있어요. 그런 상태에서 정당만으로 제대로 된 정치가 어렵다고 생각해요. 그래서 각 영역이 있고, 운동 자체가 튼튼해지고 강해지는 게 기후정치를 만드는 중요한 토대라고 생각합니다.

Q. 기후정치가 확장성을 가지고 나아가기 위해서는 무엇이 필요할까요?

다수 대중들의 지지와 참여가 굉장히 중요하다고 생각해요. 환경 단체를 보면 회원들이 있지만 후원자의 역할에 머무는 경우가 많거든요. 언론을 이용하거나 국회 로비를 통해서 영향을 주는 정책 변화가 중심이었지, 노동 운동처럼 대중의 힘을 보여주겠다는 노력은 많이 없었던 게 사실이죠. 시민 사회 뿌리가 약하다고 표현할 수도 있고요. 지금 대중 운동을 통해서 그런 것들이 보완 내지 복원되는 과정인 것 같아요.

물론 시민 사회가 적극적인 대안을 창출하는 능력이 더 있어야 하고요. 매번 기자회견하고 토론회 하는 모습만 보이는데, 더 도전적인 게 필요하다고 봐요. 과거 녹색연합 선배들은 과감한 액션이나 행동이 많았는데, 어느 순간부터 소위 야성이 줄었다는 생각이 들어요. 센 행동이 무조건 멋있다는 게 아니라, 다양한 방식의 선택지가 있을 수 있는 거잖아요. 어느 순간부터 되게 좁은 틀 안에서 사고하고 있다고 느껴져요. 다양한 사람을 모으는 집회일 수도 있고, 비폭력 직접행동도 있는데 이런 시도가 약화된 부분이 있어요. 기업이든 국가든 기존 권력에 대한 도전적인 균열을 낼 방법을 다양하게 상상하고 창의적인 시도가 필요해요.

더불어 많은 사람의 지지를 얻으려면 대상에 따라 다양한 메시지와 다양한 커뮤니케이션도 필요하다고 생각해요. 강의 나가보면 아직 기후위기를 모르는 분들도 많아요. 아주 기초적인 내용도 처음 들어보시는 분들이 있는 거죠. 근데 우리는 그런 내용을 다 알고 있다고 생각하고, 기후위기가 심각하다는 걸 넘어선 내용을 담아야 한다고 말하잖아요. 당연히 진전된 논의가 필요한데, 열심히 운동하는 사람들끼리만 함께 하면 더 많은 사람들의 상황을 못 보게 될 수도 있어요. 한 발짝만 벗어나면 훨씬 많은 사람에게 다른 정보나 다른 메시지가 필요할 수 있거든요. 매일 보는 사람들, 같은 SNS에서만 공유하는 인식이 아니라 다양한 사람들, 우리 입장과 다른 사람들이 가지는 사고

방식이나 입장을 잘 모를 수 있어요. 그런 대중적인 감각과 눈
높이를 유지하면서 그런 대상에게 필요한 건 어떤 내용일까, 어
떤 커뮤니케이션이 필요할까, 어떻게 연결할까를 계속 고민해
야 한다고 봐요.

921 기후위기비상행동 선언문

오늘, 기후위기에 맞선 담대한 행동을 시작합니다.

지금 말하고, 당장 행동하라.

우리 공동의 집이 불타고 있습니다. 지금은 비상상황입니다. 과학자들은 말합니다. 지구온도 상승이 1.5도를 넘어설 때, 돌이킬 수 없는 재앙이 시작된다고 합니다. 남은 온도는 0.5도. 지금처럼 화석연료를 사용한다면 남은 시간은 10년에 불과합니다. 폭염과 혹한, 산불과 태풍, 생태계 붕괴와 식량위기. 기후재난은 이미 시작되었습니다. 10년의 향방을 결정하는 각국의 계획이 2020년이면 유엔에 제출됩니다. 우리의 미래를 결정할 시간이 고작 1년 반 남았습니다.

시험기간은 내년말, 벼락치기는 통하지 않습니다. 하지만 시험지를 앞에 둔 이들은 지금 어떻습니까? 정부와 기업, 국회와 언론은 이미 알고 있는 해답을 외면합니다. 경제성장률이 조금만 내려가도 호들갑스럽던 그들은, 한 번도 꺾인 적 없는 이산화탄소에는 너무나도 태연합니다. 온실가스를 줄이는 일은 무기한 유보해도 되는 것으로 여깁니다. 우리는 묻습니다. 성장과 이윤, 생존과 안전, 과연 무엇이 우리 삶에 중요한 가치입니까?

우리는 모두 연결되어 있습니다. 빙하 위 북극곰과 아스팔트 위 노동자는, 기후위기 앞에 서로 다르지 않습니다. 뜨거워지는 지구에서 수많은 생물들이 사라지고 있습니다. 바닷물이 차오르는 섬나라 주민들은 난민이 되어 고향을 떠납니다. 하지만 우리 모두가 멸종위기종이고 난민입니다. 뜨거워지는 온도 속으로 지구라는 섬이 잠길 때, 이곳을 떠나 우리가 도망칠 곳은 없기 때문입니다.

이제 기후위기를 넘어 기후행동입니다. 청소년들이 앞장서고 있습니다. 태어나자마자 눈앞에 마주한 것은, 불에 타 언제 쓰러질지 모를 하나뿐인 집입니다. '도대체 이 지경이 되도록 무엇을 한 것이냐'고 묻습니다. 하지만 슬픔과 두려움을 딛고 행동하고 있습니다. 우리 모두가 당사자입니다. 유엔 기후정상회의에 맞춰 세계 각지의 시민들이 기후행동을 시작했습니다. 그리고 우리는, 지금 여기에 모였습니다.

우리는 선언합니다. 지금 우리는 기후위기의 진실을 알고 있습니다. 지구의 모든 생명들이 위기에 처해 있습니다. 이 진실을 직면하고자 합니다. 그럴 때만이 변화가 가능하기 때문입니다. 현재의 정치와 경제시스템은 기후위기 앞에 참으로 무기력합니다. 지금이야말로 바로 비상상황임을 선언합니다.

우리는 선언합니다. 성장이 아니라 정의, 이윤이 아니라 생존이 우선입니다. 기후위기는 우리에게 묻습니다. 과연 어떤 삶이 올바른 삶인지, 과연 어떤 선택이 생명을 살리는 길인지를 묻습니다. 손 놓고 재앙을 재촉할지, 아니면 잘못된 시스템에 맞서 싸울지, 지금 선택해야 합니다. 끊임없는 경제성장, 욕망의 무한 충족은 불가능합니다. 인류의 생존과 지구의 안전 따위는 아랑곳없이, 화석연료를 펑펑 써대는 잘못된 시스템을 바꿔야 합니다.

우리는 선언합니다. 지금 필요한 것은 기후정의입니다. 지구의 울음과 가난한 이들의 울음은 하나입니다. 기후위기에 책임이 없는 가장 약한 생명이, 가장 먼저 쓰러지고 있습니다. 기후위기는 정의와 인권의 위기입니다. 온실가스를 뿜어대는 기업, 이를 방관하고 편드는 정부, 눈앞의 이익에 매몰된 정치권, 진실에 무관심한 언론. 이제 이들이 마땅한 책임을 져야합니다.

우리는 선언합니다. 멈추지 않고 담대하게 행동할 것입니다. 전 세계시민들의 행동은 하나입니다. 그레타 툰베리는 먼 항해로 대서양을 가로질렀습니다. 우리도 아직 가지 않은 길, 멀지만 꼭 가야할 여정을 지금 시작합니다.

이제 정부가 응답할 때입니다. 첫째, 기후위기의 진실을 인정하고 비상상황을 선포하십시오. 이미 전 세계 10여개 국가와 1000여개 도시가 비상선포를 실시했습니다. 지금은 우리의 생존을 위해 총력을 기울일 때입니다. 둘째, 온실가스 배출 제로 계획을 수립하고, 기후정의에 입각한 대응을 시작하십시오. 석탄발전 중지, 내연기관차 금지, 재생에너지 확대, 농축산업과 먹거리의 전환 등 배출제로를 향한 과감한 정책이 필요합니다. 셋째, 기후위기에 맞설 범국가기구를 설치하십시오. 비상상황에 걸맞는 과감한 정책을 추진할 기구가 필요합니다.

역사의 어느 순간에서건 시민들이 먼저였습니다. 노예제와 인종차별, 노동착취와 성차별, 그리고 생물종차별까지, 이 모든 문제의 진실을 대면하고 시민들이 함께 행동할 때, 상식처럼 여기던 견고한 구조는 무너졌습니다. 오늘의 행동은, 아직 가보지 않은 길을 걷는 첫 걸음입니다. 이 걸음이 기후위기를 너머 새로운 사회로 이끌 것이라는 희망, 바로 오늘의 행동이 그 희망의 시작입니다.

기후위기 진실을 직시하라
기후위기 비상상황 선포하라
온실가스 배출제로 추진하라
지금당장 기후정의 실현하라

2019년 9월 21일
기후위기비상행동참가자일동

구체적인 싸움과 전선을 만드는 기후정의운동

"기후위기는 환경문제가 아니라,
자본주의 성장체제가 야기한 체제의 문제입니다."

출처. 기후정의동맹 출범선언문

정록

인권운동사랑방 활동가
체제전환을 위한 기후정의동맹 집행위원장

"ㅇㅇ이 기후정의가 아니라면 무엇이 기후정의란 말인가?" 체제전환을 위한 기후정의동맹(이하 기후정의동맹)은 두 개의 동그라미를 함께 채워 나갈 사람을 불렀다. 빈칸으로 존재하던 동그라미에는 '존엄, 평등, 공공교통, 공공성, 에너지 전환, 노동자 건강권, 돌봄, 탈시설, 성·재생산 건강과 권리, 성평등, 주거권' 등 각자의 자리에서 치열하게 고민해 온 사회 운동의 목소리가 복작거리기 시작했다.

기후정의운동과 사회 운동은 어떻게 만날 수 있을까? 기후정의동맹은 질문을 던지며 나아간다. 인터뷰를 위해 만난 기후정의동맹의 집행위원장 정록은 '인권운동사랑방'의 활동가이기도 하다. 그는 인권의 언어로 기후위기 대한 관점을 벼리던 중 기후정의운동을 만났다. 그에게 '기후위기를 인권 침해로 규정한다는 것'은 '기후위기의 책임을 묻는 것과 기후위기의 현실을 드러내는 것[1]' 모두를 의미했다. 2019년 가을, 기후위기비상행동이 조직한 대규모 시민행동을 계기로 인권운동사랑방을 비롯해 다양한 단체들이 기후위기비상행동에 결합했다. 코로나19를 통과하며 고민을 이어

---

1 출처. 칼럼 '기후정의를 만난 어느 인권활동가의 이야기', 정록, 전북평화인권연대, 2022.7.18. (https://www.onespark.or.kr/hr-essays/20220719/)

가던 중, 2021년 대통령 직속 기구인 '탄소중립위원회(이하 탄중위)'가 만들어졌다. 갑작스럽고, 순식간이었다. 2023 국가온실가스감축목표NDC와 2050년 탄소중립 시나리오를 논의하는 자리에 농민, 발전 노동자, 지역의 투쟁 현장, 기후위기의 최전선에 서 있는 이들의 목소리는 없었다. 정부의 '녹색 성장' 기조에 '의심스러운 눈초리'를 보내던 이들은 '탄소중립위원회 해체와 기후정의 실현을 위한 공동대책위원회(이하 탄중위 해체 공대위)'를 만들었다. 정부의 허구적인 탄소 감축 목표와 비민주적인 정책 결정 과정을 폭로하고 중단시키기 위한 활동과 토론을 이어가는 동안 탄중위 해체 공대위는 기후정의운동이 어떤 사회 운동과 만나고 어떤 현장과 결합할 것인지 첨예한 논의를 펼치는 공간이 되었다. 그렇게 탄중위 해체 공대위 해소 이후, 2022년 기후정의동맹이 탄생했다.

기후정의동맹은 이제 '의제로서의 기후위기'를 넘어 '체제전환으로서 기후위기'를 고민하며 공동의 전망을 만들어 가는 중이다. 기후위기비상행동이 피워낸 불씨를 이어받아 2022년 '924 기후정의행진'을 함께 꾸리고, 동시에 선명한 전선을 세우기 위해 2023년 '414 기후정의파업'이라는 이름으로 새로운 불꽃을 쏘아 올렸다.

"

투쟁이 끝나고 집으로 돌아갑니다. 저따위 정부는 그대로고 탐욕스러운 자본의 행태도 그대로입니다. 하지만 세상은 바뀌었습니다. 바로 오늘 기후정의를 위한 '반자본 대정부 투쟁'을 벌인 우리가 등장했기 때문입니다. (...) 여러분! 오늘부터 1일입니다. 또 모이고 더 싸워야 합니다.

"

- '414 기후정의파업' 정록 활동가 발언 중

한국 사회에도 이제 다양한 사회 운동을 기반으로 '체제전환'의 밑그림을 그리는 기후정의운동의 공간이 열렸다. 기후 운동이 기후정의운동으로 확장되는 국면 속에서 호기심과 기대를 가지고 기후정의동맹의 집행위원장인 정록 활동가를 만났다.

새로운 연대체의 등장, 기후정의동맹

Q. 인권운동사랑방에서 활동해오셨어요. 인권 운동을 하면서 기후위기에 대해 관심을 두게 된 계기나 배경이 궁금해요.

2019년 기후위기비상행동이 꾸린 집회를 계기로 기후위기 의제와 관련된 고민이 시작되었어요. 마침 인권운동사랑방도 기후위기비상행동에 참여하기 시작했는데요. 대부분의 연대체가 그렇듯 기후위기비상행동도 규모가 크다 보니, 참여하면서도 어디에서부터 어떻게 고민을 시작하면 좋을지 막막하더라고요. 2020년은 코로나19도 있어서 활동 자체가 활발하지 않기도 했고요. 안에 뛰어들어야 함께 일하면서 고민도 깊어지고 할 수 있는 활동을 찾아갈 수 있지 않을까 하는 생각으로 2021년부터 인권운동사랑방의 저와 가원 활동가가 기후위기비상행동의 집행위원회에 결합하게 되었어요. 활동을 그렇게 시작하긴 했는데, 저에게 소위 말하는 환경 의제는 처음이었어요. '처음'에는 여러 의미가 담겨있는데, 일단 사안이나 이슈의 흐름에 대해 제가 잘 모르거나 부족한 면이 있고요. 더 나아가서 어떠한 운동이든 나름의 역사 속에서 형성된 관계나 방식이 있을 텐데요. 그런 맥락이 익숙지 않았습니다. 그러던 와중 2021년에 탄소중립위원회가 만들어진 거죠.

Q. 기후정의동맹이 탄생하기에 앞서 탄중위 해체 공대위가 전신으로 기능했습니다. 당시 탄중위 해체 공대위가 꾸려지게 된

문제의식은 어떠했나요?

2021년 5월 P4G가 만들어졌고, 정부가 탄소중립 시나리오 초안에 연동해서 2030 온실가스 감축목표까지 발표하겠다고 한 상황이었어요. 문재인 정부는 이전까지 별다른 입장이 없다가 갑자기 탄소중립, 녹색성장, 그린뉴딜 등 온갖 개념을 가져와서 신성장 동력으로 삼겠다며 돌변해 속도를 내기 시작했어요. 정부와 자본으로 대표되는 주류가 어떻게든 부족하게나마 자기들 중심으로 전략을 짜보려는 태세를 확실히 보인 거죠. 그에 반해, 기후 운동은 2019년 첫 집회를 열면서 '정부가 비상상황을 인정하고 선언하라'고 요구해왔는데, 이제 정부가 다 해버린 거예요.

개인적으로 2021년 여름이 기후 운동의 중요한 시점이라고 생각했어요. 한국에서 기후 운동을 어떻게 세팅할 것인지 전선을 치는 시기로서요. 정부와 기업이 청사진과 전략을 가지고 빠르게 움직이는데, 기후 운동이 제대로 대응하지 않으면 계속 끌려다닐 테니까요. 운동의 방향과 원칙을 제대로 수립하고 그걸 바탕으로 힘을 기르는 게 중요한 시점에서 탄중위에 대한 입장을 분명히 세우고 어떻게 대응할지 논의가 필요했어요. 하지만 기후위기비상행동은 워낙 스펙트럼이 넓다 보니 그 안에서 논의가 쉽지 않았죠. 탄중위를 계기로 기후 운동 안에서 처음으로 입장이 첨예하게 드러났어요. 탄중위 해체 공대위 제안문을 회람할 때 '어떻게 봐야 할지 잘 모르겠다'부터 '정부를 견인하는 역할을 해야 한다'까지 입장이 다양했던 것으로 기억해요. 인권 운동을 하면서 만난 여러 사회 운동의 단위들이 탄중위 해체 공

대위에 참여했어요. 의도했던 건 아니었는데, 기후위기비상행
동과 탄중위 해체 공대위 참여 단체가 거의 겹치지 않더라고요.

**Q. 탄중위 해체 공대위에서 기후정의동맹이 만들어지기까지
어떤 시간을 통과해왔나요?**

탄중위 해체 공대위에는 농민 운동, 반빈곤 운동, 장애 운동
등 기존의 기후 운동과 밀접하지는 않았던 단위들이 많이 결합
했어요. 그 과정에서 다양한 사회 운동이 반자본 운동, 체제전
환의 운동으로서 기후정의운동을 자신의 과제로 고민하는 계기
가 만들어졌어요. 이전까지 기후위기라고 할 때 자연과학자, 환
경 의제, 온실가스, 이과생의 이미지가 강했다면, '기후정의운동
이 사회 운동의 과제일 수 있구나' 하는 경험을 서로 처음 주고
받았던 거죠.

태안 석탄발전소 노동자와 공동으로 열었던 집회가 떠오르
는데요. 탄중위 의결 이후, '기후정의버스'라는 이름으로 새만금
신공항 예정지, 태안 석탄발전소 등을 방문해 지역 주민이나 발
전 노동자와 서로의 상황을 공유하고 에너지 체제 전환을 고민
하는 자리를 만들었어요. 태안 석탄발전소에서 열었던 집회는
규모 자체가 그리 크지는 않았어요. 석탄발전소 앞이 너무 휑해
서 시민이 볼 수 있도록 시외버스터미널 앞에서 공동집회를 열
었는데요. 그 과정이 당시 비정규직 노동자에게는 엄청나게 큰
경험으로 작동한 거예요. 맨날 발전소 폐쇄하라는 이야기를 듣
거나 죄인 취급만 받다가 처음으로 기후위기를 이야기하는 사

람들이 어깨 걸고 구호를 외치며 같이 집회를 한 거죠. 그날 밤 술자리에서 펑펑 운 노동자도 있었다고 하더라고요.

탄중위 해체 공대위 해소 이후에는 기후정의동맹의 출범에 앞서 '기후정의포럼'을 열었어요. 사회 운동이 가진 것을 다 꺼내놓고 토론해보자, 무엇이 궁금하고, 무엇이 부족하고, 누구와 무슨 이야기가 더 필요할지 논의하는 자리였어요. 이때도 에너지와 교통을 중심으로 한 공공성 이야기가 많이 나왔는데요. 기후정의의 구체적 경로로서 공공성을 가지고 사람들을 설득하고 힘을 모아내야겠다는 생각을 더욱 하게 되었어요.

Q. 기후정의동맹이 만들어지는 과정에서 기후 운동과 거리가 있었던 사회 운동 단체들이 자신의 과제로서 기후위기를 만나는 계기가 되었군요. 그렇다면 왜 이전까지는 그런 자리가 만들어지지 않았던 걸까요?

이전까지는 환경 단체가 기후위기와 관련해 이니셔티브를 쥐고 있었어요. 초기에는 기후위기도 환경 의제로 바라보는 시각이 강했고요. 자연스러운 결과이기도 했죠. 환경 단체들이 오랫동안 대응해왔던 의제이기도 했으니까요. 기후위기가 광범위하고 큰 문제라는 걸 직관적으로는 알지만, 어떻게 사회적인 흐름을 만들어 확장하고 이슈를 제기할 것인지와 관련해서는 고민이 크지 않았던 것 같아요. 가령 1.5도씨나 국가온실가스감축목표 같은 수치나 용어가 있잖아요. 국제 사회가 요구하는 목표와 수치가 있고, 그걸 기준 삼아 한국 정부에 정책적 압력을 행사하거나 정책 로비, 토론회, 전문가를 붙이는 방식으로 기후 운동이 전개됐던 거죠. 그러다 보니 우리의 언어 자체가 자꾸만 1.5도씨나 NDC에만 맞춰지는 거예요. 저는 기후정의운동을 하기 전까지는 NDC가 뭔지도 몰랐거든요. 한국 사회에서 기후정의운동의 역사는 아직 굉장히 짧다고 봐요. 기존의 환경 운동 입장에서는 새로운 행위자가 등장한 거겠죠. 기후위기라는 의제 자체가 이미 폭발성과 잠재력을 가지고 있기도 했고요.

> **Q.** 단체 이름에 있는 '동맹'이라는 표현이 참 강력하기도 하고 낯설게 느껴지기도 합니다. 동맹이라는 틀에 어떤 의미를 담고 싶었는지 궁금해요.

일단 개인적으로 무슨 행동, 무슨 연대는 흔해서 싫었어요(웃음). 기후정의라는 이름 아래 체제 변혁을 지향하는 다양한 사회 운동이 서로 동맹을 맺는다는 의미에 가까운데요. 그 안에는 '다양한 세력의 연합'이라는 의미도 포함됩니다. 서로 다르기에 동맹을 맺는 거잖아요. 기후정의운동의 세력화를 강하게 표현하는 단어라고 생각해요.

기후위기 대응을 넘어 기후정의운동으로

> **Q.** '기후정의포럼'의 자료집을 보면 역할에 대한 고민과 기대가 잘 드러나요. 기후정의동맹이 '명확한 전선을 만드는 일'을

하기를 기대하기도 하고, '체제전환에 대한 인식은 없지만, 기후 운동의 씨앗을 품고 있는 이들을 어떻게 만날 것인가'에 대한 고민이 나타나기도 하는데요. 기후정의동맹이 펼쳐나가고 싶은 기후정의운동의 핵심은 무엇인가요?

기후정의동맹은 상설연대체입니다. 상설연대체는 보통 특정 현안이나 법안과 관련한 대책위원회 형태로 만들어지는데요. 기후정의동맹은 기후위기와 관련한 현안에 대응도 하지만, 그걸 넘어 기후 운동을 고민하는 사회 운동 진영에 대한 역할과 고민이 존재해요. 현안 대응과 운동 방향에 관한 고민을 동시에 해야 하는 상황이 긍정적일 때도 있고, 긴장으로 작동하기도 하죠.

기후정의동맹이 출범하면서 내걸었던 두 가지 핵심 사업에 그런 고민이 잘 담겨 있는데요. 하나는 정의로운 에너지 체제전환이에요. 기후위기 의제 중 핵심인 에너지 영역에서 구체적인 대안을 제시하고 그 과정을 조직하는 데 중점을 두고 있어요. 기후위기 대응과 기후정의운동은 다르다고 생각해요. 기후위기 대응은 말 그대로 '대응'인 거죠. 탄중위도, 정부의 발표도 하나의 대응일 수 있어요. 하지만 기후정의운동은 기후위기를 만들어낸 원인을 단순히 온실가스 배출원이라는 기술적 문제에 국한하지 않고, 시스템과 사회가 굴러가는 체제의 문제로 바라봐요. 그렇기 때문에 '에너지 전환'이 아니라 '에너지 체제전환'인 거죠. 이 같은 맥락에서 중요하게 진행한 사업이 '기후정의선언운동'이었어요. 구체적인 현안 대응을 넘어 여러 사회 운동이 자신의 운동과 기후정의운동이 다르지 않다는 것을 자기 운동의 과제와 언어로 정리하는 것이 '기후정의선언운동'의 취지였어요.

Q. 정의로운 에너지 체제전환과 관련해 기후정의동맹은 횡재세, 공공요금 인상 등 쟁점을 포착하고 토론을 이어가고 있어요. 그중, 에너지 요금 인상 논쟁은 기후정의운동의 방향을 가늠하는 중요한 이슈라는 생각이 들어요. 핵심적인 쟁점은 무엇인가요?

그동안 환경 단체를 중심으로 나온 에너지 수요 감축의 대안은 기존의 시스템을 크게 바꾸지 않는 방향이었어요. 정부의 과도한 개입을 중단하고, 에너지 원가를 반영해 요금을 현실화하면 자연스럽게 수요가 감축될 거라는 시장적 논리인 거죠. 실제 에너지 소비의 큰 부분을 차지하는 기업과 자본의 수요 감축에는 어떻게 대응할지는 두루뭉술하거나 묵묵부답이었어요. 그동안 구조와 시스템의 문제는 건드리지 않은 채 에너지 감축과 전환을 이야기해왔다면, 최근의 에너지 요금 인상 논쟁에서는 그 지점이 드러났다고 봐요. 기후정의운동이 등장했을 때부터 지금까지 큰 차원의 이야기를 많이 했던 것 같아요. 불평등과 기후위기부터 자본주의 문제와 체제전환까지요. 하지만 구호의 수준을 넘어 운동 과제와 전략, 실질적으로 무엇에 맞서 누구를 조직하고 투쟁할 것인지 아직 논의가 그 수준까지 오지 못했다는 생각도 들어요. '414 기후정의파업'이 제기한 에너지 요금 인상 논쟁은 바로 그 지점을 건드리기 시작한 거죠. 아마 '에너지 기본권 보장'이라고 추상적으로 이야기하면 이런 논쟁은 없었겠죠.

Q. 기후정의선언운동에 참여하는 단체들의 반응은 어떤가요?

자신의 운동 의제와 기후정의 운동을 언어화하고 구체화하는 일이 쉽지만은 않아요. 그런데도 신기한 건 다들 동기가 강하다는 점이에요. 기후정의운동을 자신의 운동 과제로 삼고 싶어하는 열의가 있다는 사실이 중요하다고 생각해요. 특정 의제에 연대하러 온 것이 아니라, 자신의 운동으로서 기후정의운동을 외치겠다고 느껴졌던 자리 중 하나가 2023년 열린 '414 기후정의파업'이기도 했고요. 주인과 손님, 싸우는 사람과 연대자가 분리되지 않는 것이 의미 있었어요. 그 동력을 잘 살려서 활동을 만들어야겠다는 결심을 하게 되고요.

행진의 힘을 이어 파업까지

Q. 2022년 '924 기후정의행진'을 함께 만들고, 이듬해 기후정의동맹은 '414 기후정의파업'을 별도로 기획했습니다. 서울에서 열렸던 '924 기후정의행진'과 세종에서 열린 '414 기후정의파업'은 어떤 지점에서 다르고 어떻게 나아갔다고 보시나요?

2022년 '924 기후정의행진'은 많은 사람이 모여서 좋았지만, 결국 투쟁하는 자리는 아니었다는 생각이 듭니다. 기후위기를 고민하는 사람들이 1년에 하루 모여서 즐겁게 행진하는 자리로 이어진다면, 퀴어 퍼레이드처럼 연례행사처럼 열릴 가능성도 있겠죠. 하지만 세상 바꾸자고 외치는 기후 운동이라면 이런 열의와 힘을 모아서 구체적인 요구와 싸움을 만드는 자리가 필요하다는 판단에 아쉬움이 컸습니다. 그 고민이 담긴 것이 '414 기후정의파업'이었어요.

파업에 앞서 구체적인 요구안을 만들었다는 점에서 2022년에서 한발 더 나아간 고민을 담았다고 생각해요. 대정부 요구안을 만들기까지 논쟁이 치열했어요. 왜 이 이슈는 포함되지 않았는지, 왜 이 단어를 사용했는지에 관한 질문부터 시작해 2대 방향, 4대 핵심, 13개 투쟁요구가 정리되었거든요. 누군가에게는 하루 파업하려고 모이는데 무슨 정당의 강령을 만드는 건가 싶기도 했을 것 같아요. 대중을 조직하기 위한 요구안이라기보다는 현재 기후정의운동의 합의안, 우리의 합의 지점이었던 거죠. 결과적으로 아쉬운 부분도 있긴 하지만, 다양한 사회 운동의 동맹으로서 기후정의운동의 현실을 보여줬다고 생각해요.

Q. 기후위기와 관련한 지역의 여러 현장이 있을 텐데요. 많은 곳 중 세종을 택한 이유가 있나요?

지역 선정과 관련해서 여러 의견이 오갔어요. 삼척, 가덕도, 새만금 등 구체적인 현장에 가서 저지하는 투쟁을 크게 기획해보자는 의견도 있었고요. 하지만 그렇게 진행할 수 있는 주도권이 지금은 누구에게도 없는 거죠. 여기서 말하는 주도권은 특정 조직의 힘이라기보다는, 정세, 상황, 현장이 만드는 힘을 의미해요. 기후위기의 핵심 현장이 지금 어디일까요? 현재로서는 잘 모르겠어요. 그런 점에서 세종은 타협점이기도 했어요. 각각의 정부 부처가 모여 있는 투쟁 현장이기도 하고요. 서울이 아닌 세종에서 정부 투쟁을 만들자는 결정과 실행에 이르기까지 중부 지역의 활동가들이 처음부터 책임지고 함께 만들어갔어요. 준비 과정이 물론 쉽지는 않았어요. 하지만 함께 시도하고 만들어가려는 의식적인 노력이 있었다고 생각해요. 지역이 공간적인 한계에 갇힐 이유는 없어요. 한 장소에 뿌리 박힌 운동이라는 것은 그 지역의 현안만을 다룬다는 뜻이 아니라, 그 지역에서 시작해 어느 지역이든 보편적이고 전국적인 투쟁을 할 수 있어야 한다고 봐요. 그런 역량과 경험이 나누어져야 한다는 고민 속에서 '414 기후정의파업'은 세종에서 열리게 되었어요.

　Q. '414 기후정의파업'에서 마무리 발언을 하셨잖아요. 특히 '오늘부터 1일이다'는 발언이 인상 깊었습니다. 함축하는 의미가 있었나요?

　별 게 있나요. 앞으로 잘하자, 이런 거죠. '414 기후정의파업'에 오는 과정은 사람마다 달랐을 거예요. 준비위원회처럼 몇 개월간 달려온 사람도 있었고, 전날 미리 와서 현장을 준비한 사람이나 당일에 참여한 사람도 있을 테고요. 나름의 집회는 끝났지만 사실 당장 바뀐 것은 없죠. 하지만 정말 바뀐 것이 하나도 없는 걸까요? 2019년 기후위기비상행동이 조직한 대규모 행동은 한국 사회에 처음으로 대중적인 기후 운동 세력의 등장을 알렸다는 점에서 아주 큰 변화잖아요. 하지만 그렇다고 온실가스가 더 감축되었을까요? 아니요, 오히려 늘어났죠. 변한 것이 없는 것처럼 느껴질 수 있어요. '1일'을 언급했던 것은 몇 개월 동안의 준비 과정에서, 파업 현장에서 '우리가 등장했다'는 것을 확인했고 기후운동의 변곡점으로서 등장한 운동 세력이 있음을 강조하고 싶었던 것 같아요. 결국 '왜 사회는 바뀌지 않을까'라는 질문을 만났을 때 이렇게 등장한 우리가 만드는 싸움은 앞으로 달라질 거다, 자본에 맞선 싸움을 제대로 펼칠 때 기후정의운동은 또 달라질 것이다, 라는 의미이기도 했죠. 2019년 기후위기비상행동의 대규모 집회가 여전히 회자되고 2022년 '924 기후정의행진'으로 이어진 것처럼, '414 기후정의파업'을 통해 '우리'가 출현했다는 것을 확인하고 앞으로 함께 잘 싸워보자는 의미였어요.

기후위기와 체제전환, 전환의 경로를 설정하기

Q. 기후정의동맹은 기후 불평등을 일으키는 근본적인 요인으로 자본주의 체제를 지목하고 있어요. 기후위기와 체제전환을 연결하는 문제의식은 왜 중요할까요?

가령, 많은 사회 운동에서 페미니즘 인식을 자기 운동 안에 통합적으로 녹이기 위해 노력하잖아요. 마찬가지로 기후정의운동에서 자본주의의 자연 수탈과 착취에 관한 문제의식은 모든 운동에 통합적으로 녹아들어야 한다고 생각해요. 그런 문제로부터 자유로운 운동은 없겠죠. 기후위기와 체제전환은 단순히 A+B처럼 도식화되지 않아요. 온실가스 감축, 에너지 전환, 사회 공공성 강화 등 여러 부문에 기후정의운동의 핵심적 경로를 어떻게 만들 것인지가 중요해요.

담론 비판에 그치지 않고 무엇을 어떻게 바꾸고, 구체적인 현장을 어떻게 만들고, 투쟁을 조직할 것인지 기후정의동맹에게도 중요한 과제로 남겨져 있어요. 그러한 고민의 일환으로 '정의로운 에너지 체제전환'이라는 소책자를 만들어 삼척, 전남, 홍천 등 투쟁 현장을 찾아다니며 간담회나 사전 집회를 진행하기도 했어요. 지금은 일종의 청사진을 가지고 소통하는 단계이긴 한데요. 체제전환을 바라는 사회 운동은 망하는데 기후정의운동만 잘 될 리는 없다고 봐요. 지금 한국 사회에서 기후 운동은 가장 활력 넘치는 곳 중 하나잖아요. 현장을 만나고 조직하다 보면 어느 시점에 정세를 잘 만들어서 큰 변화를 만들어 낼 수 있다고 생각해요. 그리고 그 변화는 기후정의운동만의 현장은 아니겠죠.

Q. 자본주의가 초래하는 문제에 대해서 많은 이들이 공감할 테지만, '체제전환'이라는 상을 그리는 데 있어서 다소 추상적으로 여겨지기도 합니다. 기후정의동맹이 그리는 체제전환은 어떤 의미일까요?

구체적인 청사진 그 자체보다는 경로가 중요하다고 생각해요. 사회 공공성 강화가 주요한 경로가 되어야 한다는 고민 속에서 기후정의동맹도 계속 만들어 가는 중이에요. 우리에게 필요한 것은 새로운 체제를 지향하고 만들어가기 위해 사회적 세력을 형성하는 것이에요. 그러한 세력 없이는 정치도, 정책도 불가능해요. 세력이 없으니 적지 않은 이들이 계속 연구로만 빠지는 것 같기도 하고요. 운동과 사회 세력이 보조를 맞추어 가는 게 중요한데요. 점점 사회 운동의 현실은 어려워지고 있는데, 공부하는 사람들은 많아지고 있잖아요. 각종 펀드, 연구 자금, 프로젝트, 정책 사업, 국회 연구 등은 늘어나고요. 실제 그게 누구의 언어가 되어서 어떻게 요구되고 있는지 질문해볼 필요가 있어요. 사회적 변화라는 것은 결국 세력 간의 경합과 싸움, 협상과 타협으로 만들어지고 실행되니까요.

다른 사회 운동과 비교할 때, 도드라지는 기후 운동의 특징은 전환과 대안 사회를 분명히 강조한다는 점이에요. 보통은 방어 투쟁을 하잖아요. 해고 반대, 개발 반대, 하지 마라. 그런데 기후 운동은 '하지 마라'가 아니라 '해야 한다'를 말하는 운동이에요. 결국 '어떻게' 해야 할 것인가 라는 질문을 만나게 되죠. 그런 차원에서 전환의 경로를 만들고 협상을 실행할 수 있는 사회적 세력이 중요하다고 생각해요.

Q. 현재까지 기후정의동맹은 다양한 사회 운동을 향해 말 걸기를 해왔다는 생각이 들어요. 자기 운동의 고민이 있어야 참여할 수 있는 공간처럼 보이기도 하고요. 불특정 대중을 향한 방식은 아니었는데요. 어떻게 넓어질 것인가에 대해서는 어떤 고민

을 하고 있나요?

수많은 개인적인 실천이 있잖아요. 이러한 실천은 부정의한 구조에 가담하지 않겠다는 결의이기도 하죠. 하지만 실천 자체가 구조를 바꾸지는 못해요. 내가 가담하지 않을 뿐이죠. 그런 이들에게 정의로운 구조를 제안하는 현장이 필요하다고 보고, 기후정의동맹이 그러한 자리를 열고 싶어요. 가령, 에너지 전환 과정에서 누군가가 배제되거나 불평등이 강화되는 현상에 반대하는 사람들이 분명 적지 않게 존재할 텐데요. 이들에게 함께 싸우자고 말을 걸고 제안할 수 있는 계기와 자리가 필요하다고 생각해요. 기후정의동맹도 준비하는 단계인데, 사람들에게 구체적으로 제안하고 변화와 연결될 수 있는 활동을 만들어 가려 해요.

Q. 현재 기후정의동맹에게 중요한 계획이나 화두는 무엇인가요?

일단, 기후정의선언운동을 갈무리할 계획이에요. 기후정의동맹과 함께하는 사회 운동 단체들과 간담회를 진행 중인데요. 개별 단위의 선언을 넘어 함께 선언을 확인하는 자리를 기획하고 있어요. '414 기후정의파업'을 통해 지역마다 기후정의운동의 질서에 대한 고민을 발견했는데요. 여러 곳에서 지역 차원의 기후정의운동 질서를 만들기 위한 고민을 하기 시작했어요. 기후정의선언운동을 계기로 각 지역이 '우리가 기후정의운동 세력이다'를 어떻게 정리하고 표현할 것인지 고민하고 있어요. 노동자의 이름으로 기후정의운동을 집단으로 조직하기 위해 어떤 과정이 필요할지도 관심을 두고 있고요. 당장 구체적인 노동 조건을 두고 사측과 겨뤄야 하는 노동조합의 입장에서는 당장의 현안이 아닌데도 기후위기에 정말 관심이 많더라고요. 사실 사회 전체적으로 관심과 고민이 확장된 것처럼 노동자 역시 사회 구성원으로서 같은 거죠. 세력화를 만들어내지 못하면 주류적 의미에서의 시민이나 대상으로서의 시민으로만 고민이 맴돌게 되는 것 같아요. 그 끝에는 '에잇 나도 잘 모르겠다'는 체념이나, 개인적인 실천을 하며 죄책감을 느끼는 시민만 남게 되지 않을까요.

▋기후정치를 위한 진단

Q. 현재 한국사회에서 영향력 있는 기후정치 세력이나 움직임
이 나타나지 않는 근본적인 이유는 무엇일까요?

넓은 의미의 정치로 보면 기후정의운동의 세력 혹은 기후정
치는 이제 형성되어가는 과정, 시작이라고 생각해요. 그래서 더
시간이 필요한 문제이기도 하고요. 좁은 의미의 기후정치라고
하면 선거가 떠오르는데요. 지난 몇 번의 선거에서 정의당, 녹색
당 등 몇몇 정당이 기후위기와 관련된 공약을 이야기하고 선거
를 치렀잖아요. 그 과정이 왜 유의미한 경로가 되지 못했는가를
돌아봤을 때, 사람들도 기후위기가 정책 하나로 바꿀 수 있는 문
제가 아니라는 걸 직관적으로 알고 있는 게 아닐까요. 복잡하고
거대한 문제를 공약 하나, 정책 하나로 바꿀 수 없고 훨씬 더 근
본적인 변화가 필요하다고 생각하는 것 같아요.

한국의 진보 정당 운동이 난감하고 힘든 상황이라 조심스럽
지만 거칠게 표현하자면 지난 20년 동안 녹색당, 노동당, 진보
당, 정의당, 과거 민주노동당까지 사회 운동과 정치 운동이 좋지
않은 방식으로 분리 정립하는 과정이었다고 봐요. 정당은 선거
로 돌아가잖아요. 대통령 선거, 지방 선거. 선거 끝나면 돈 모으
고 빚 갚고 다시 또 선거 준비하고. 그러다 보니 조직가는 적어
지고 여의도만 바라보는 정치 전문가가 되거나, 사회 운동의 기
반을 점점 잃어버리기 쉬운 것 같아요. 진보 정당 운동이 분열되
다 보니 무언가를 같이 도모해보려고 해도 모든 당을 다 부르지

않으면 말이 나와요. 그러니까 정당의 발언을 고려할 때마다 스트레스가 심해지죠. 한편 사회 운동에는 정치 혐오가 점점 커졌어요. 사회 운동을 하는 사람 중 당적이 없는 이들도 늘어가고, 선거 시기에 필요한 개입 지점을 찾지 못하고 논평만 하다가 정작 자신의 의제가 아쉬우면 정책 로비를 하기도 하고요. 사회 운동은 점점 정치에 대한 감각을 잃어가는 거죠. '사회 운동을 세력화한다는 것'의 의미는 이 두 가지 시야가 합쳐지는 것이에요. 사회 운동이 세상을 바꾸자고 하는 활동이라면 정치를 외면하고 정치 혐오에 빠질 수는 없죠. 어려운 때일수록 근본적인 고민이 필요하다고 봅니다.

Q. 기후정치가 확장성을 가지고 나아가기 위해서는 무엇이 필요할까요?

기후위기가 삶의 다른 문제와 분리된 것이 아니라고 볼 때, 양당 구조에 고착화 되어 있고 정치 환멸이 점점 커지는 한국 정치의 상황 속에서 기후위기만으로 새로운 정치적 흐름을 만드는 게 가능할 것인가. 그런 질문이 필요할 것 같아요. 단순히 총선 후보를 낼지 말지, 어떤 정당과 손잡을지 같은 좁은 차원의 질문을 넘어서 한국의 진보정치를 재구성하는 힘을 어디에서 만들어 낼 것인지가 중요하다고 생각해요. 정당 간의 통합이나 협상을 기대하기는 난망해 보이는데요. 결국 사회 운동이 세력을 형성해 이니셔티브를 쥐고 기존의 정당 질서를 재편하는 힘을 만들어내야 겠죠. 그 과정에 기후정의운동이 기여할 수 있으면 좋겠어요. 실제 기여할 수 있는 운동이라고 생각해요. 새로운 운동의 힘, 활력을 우리 모두 느끼고 있잖아요.

'탄소중립위원회 해체와 기후정의 실현을 위한 공동대책위원회' 제안문

제안이 시작되는 자리

2021년 8월은 한국 기후운동에서 중요한 시기로 기억될 것입니다. 정부와 국회, 산업계로 대표되는 권력집단이 바라보는 '기후위기의 책임(원인)과 해법'이 가시화되었기 때문입니다. 탄소중립위원회가 발표한 '2050 탄소중립 시나리오 초안'과 이를 제도적으로 뒷받침하는 '탄소중립 녹색성장법'이 그것입니다. 이들은 기후위기의 원인을 화석연료라는 특정 에너지원과 시민들의 무분별한 소비문화로 보고 있습니다. 그러니 해법은 위험하고 현실성 없는 미래기술 또는 재생에너지 시장, 탄소 가격 시장 활성화가 됩니다. 기업과 자본은 기후위기의 책임을 지기는커녕 녹색성장을 이룰 주역을 자처하고 있습니다.

8월엔 기후변화에 관한 정부 간 협의체(IPCC) 6차 보고서도 발표되었습니다. 현 추세대로 온실가스를 배출한다면 지구 평균 기온이 1.5도 이상 높아지는 시점을 기존보다 10년 이상 앞당긴 2040년 즈음으로 예측했습니다. 이미 기후변화로 인한 생태계 붕괴가 시작되고 있음을 과학적으로 확인했습니다. 2050년에 탄소중립을 달성해도 1.5도 이상 상승을 막을 수 없다는 종말론적 결론에 많은 이들이 좌절했습니다.

녹색기술과 시장에 대한 근거없는 낙관으로 가득한 '탄소중립 시나리오 초안'과 과학적 분석과 추론에 따라 암울한 결론을 내린 IPCC 보고서는 상반돼 보이지만 동일한 정치적 입장에 서 있습니다. 자본주의 체제는 바뀔 수 없는 자연질서라는 것입니다. 지구 생태계의 붕괴, 인간세계의 종말은 가깝게 느껴지지만, 이윤축적과 성장을 위해 인간과 자연을 수탈하고 착취해온 자본주의 체제의 종말은 상상조차 못하는 것입니다. 하지만 기후위기에 맞서며 기후위기 속에서도 평등하고 자유롭게 살아가고자 하는 우리는, 결코 자본이 그어놓은 한계에 갇히지 않습니다. 우리의 시야와 운동은 자본주의 너머를 향합니다.

이제 한국 사회에서 '기후위기 대응', '온실가스 감축'을 외쳐야했던 시기는 지났습니다. 문제는 어떻게 감축할 것이냐입니다. 정부와 자본은 자신들의 전략을 '탄소중립 시나리오 초안'으로 공표했습니다. 녹색 자본이 성장하면 온실가스는 저절로 감축될 것이고, 어렵다면 탄소포집저장 기술을 개발하겠다고 합니다. 자본과 시장과 기술이 우리를 구원할 유일한 대안이라며 '참여와 합의'를 강요하는 저들에게 정면으로 맞선 투쟁이 이제는 시작되어야 합니다.

탄소중립도, 기후정의도, 민주주의도 없는 '2050 탄소중립 시나리오' 좌초시키기

탄소중립위가 발표한 '2050 탄소중립 시나리오 초안'은 이제 두 달동안 '사회적 대화와 합의' 과정을 거쳐 정부 정책 로드맵이 됩니다. 또한 탄소중립위는 11월 유엔기후변화협약 당사국 총회에 제출할 2030년 국가 온실가스 감축목표(NDC)도 심의, 의결하게 됩니다. 정부가 탄소중립위를 앞세워 기후위기 대응을 위한 온실가스 감축 과정 전반에 대한 법제도적 기반 구축 작업을 10월 말에 완료하게 되는 것입니다.

앞으로 두 달동안 탄소중립위가 주도하는 탄소중립 시나리오, 2030년 온실가스 감축목표 설정 프로세스를 좌초시켜야 합니다. 이러한 프로세스를 그대로 두고, 정부와 국회에 대한 비판을 반복하는 것은 공허합니다. 정부는 탄소중립위를 내세워, 자본과 시장 중심의 기후위기 대응전략에 대한 사회적 승인과 정당성을 획득하려고 합니다. 탄소중립도 아니고 기후정의 원칙도 상실된 시나리오 3개를 던져놓고, 각계 각층의 의견수렴과 소위 전문가들의 검토, 그리고 '탄소중립시민회의'라는 이름으로 동원된 시민 '여론조사'까지 잘 연출된 '탄소중립 민주주의 극장'이 두 달동안 열리는 것입니다. 민주주의마저 왜곡하는 이 프로세스는 분쇄돼야 합니다. 사회적 승인이 아닌 사회적 고립을 확인시켜야 합니다. 사회적 정당성이 아닌 부당함이 확인돼야 합니다.

윤순진 탄소중립위 위원장은 '탄중위가 신뢰를 잃으면 사회적 불행이라며, 탄중위를 비판한다고 일이 해결될 수 없다'고 합니다. 그렇습니다. 탄소중립위를 비판한다고 기후위기가 해결되지 않습니다. 하지만 기후위기의 책임을 자본에게 묻고, 기후위기 최전선의 시민들이 사회적 필요에 따른 재화와 서비스의 생산을 계획하는 '정의로운 전환'을 시작하기 위해서는 기만적인 탄소중립 시나리오, 탄소중립위와의 싸움은 불가피합니다. 그렇게 탄중위가 신뢰를 잃으면 사회적 불행이 아니라 한국 기후운동의 커다란 성취이자 진전이 될 것입니다.

자본과 기업에게 기후위기의 책임을! 기후위기 최전선의 시민들에게 권리를!

탄소중립위 해체 투쟁은 자본과 시장 주도의 정부 기후위기 대응 전략에 맞선 투쟁입니다. 자본과 기업이 기후위기 대응의 주체가 아니라 세상을 이렇게 망친 주범이라는, 기후위기의 책임을 져야 한다는 것을 분명히 하는 투쟁입니다. 기후위기의 원인인 시장과 자본에게, 생산을 조직하고 계획할 권한을 사회에 양도하라는 권력관계의 변화로까지 이어져야 할 투쟁입니다. '사회'는 바로 기후위기의 최전선에서 살아가는 노동자, 농민, 여성, 장애인, 청년과 같은 시민들의 다른 이름입니다. 정부와 자본이 '기후 취약계층'이라는 이름으로 자리를 할당하고 배려해야 하는 대상이 아닙니다. 거대하고 정의로운 전환을 시작할 전환의 주체입니다.

이제 새로운 세계를 향한 투쟁을 다시 시작합시다.

'탄소중립위 해체와 기후정의 실현을 위한 공대위'를 시작으로 녹색 자본주의만이 대안이라는 저들에게 우리에겐 새로운 세계를 열어낼 역량과 비전이 있음을 보여줍시다.

2021년 8월 26일
제안단체 기후정의포럼, 멸종저항서울, 에너지노동사회네트워크, 인권운동사랑방

'체제전환을 위한 기후정의동맹' 출범 선언문

기후정의가 열어낼 다른 세계를 향한 투쟁을 시작하자

우리는 이미 기후위기 시대를 살아가고 있다. 사회가 제대로 작동하지 않고 있다는 인식, 세계가 무너져내리고 있다는 감각은 이제 낯설지 않다. 그런데도 세계를 무너뜨려온 자본과 시장이 오히려 녹색성장을 외치며 변화의 주체인냥 등장하고 있다. ESG 경영이라며 '탄소중립 휘발유'를 팔고, 수백억 원의 돈을 쏟아부은 '탄소중립 스타트업'으로 '청년'들을 포섭하고, 녹색 라이프 스타일을 힙하게 만들며 새로운 시장 육성에 여념이 없다. 결국엔 새로운, 더 많은 상품을 만들고 팔아 이윤을 쌓겠다는 것이다. 그렇게 쌓여가는 상품더미만큼 인간과 자연은 수탈당하고 세계는 무너져갈 것이다.

지금 바로 새로운 기후운동이 필요하다. 위기와 재앙을 반복해서 경고하는 것을 넘어, 이러한 위기를 초래한 '자본주의 성장체제'에 맞서 다른 세계를 열어내는 기후정의투쟁이 시작되어야 한다. '체제전환을 위한 기후정의동맹'은 이를 분명히 하며 다음을 선언한다.

하나, 자본주의 성장체제에 맞서 싸우는 사회적 권력이 되자.

기후위기는 생태위기, 불평등 위기, 재생산 위기, 민주주의 위기와 같은 복합적이고 총체적인 위기의 한 측면일 따름이다. 기후위기는 환경문제가 아니라, 자본주의 성장체제가 야기한 체제의 문제이다. 기후정의운동은 자본주의 성장체제에 맞선 사회적 권력을 형성하는 운동이어야 한다. 기후정의동맹은 다양한 사회운동의 만남과 연결, 공동투쟁의 경험들을 만들어내면서 자본주의 성장체제에 맞선 대항 세력화 과정을 부단히 시도하고 그 일부가 될 것이다.

하나, 지배와 억압에 맞서 싸우는 모든 이들과 함께, 기후정의를 위한 투쟁을 조직하자.

우리는 임박한 파국을 강조하며 쉽사리 권력과 기술에 대한 맹신에 빠지는 것을 거부한다. 지난 30년의 역사가 자본과 권력의 대안은 이미 실패했음을 증명하기 때문이다. 기후정의동맹은 지배권력이 유포하는 '기후위기론'과 거짓 대안인 '녹색성장'에 맞서는 싸움의 현장을 열어내고 조직하고자 한다. 바로 기후정의의 전망과 대안으로 말이다. 우리에겐 이미 대안이 있다. 평등하고 존엄한 삶을 향한 투쟁과 보편적 권리요구들이 그것이다. 우리의 투쟁들은 이제 이 세계의 모든 생명들과 함께 살아가기 위한 기후정의의 전망과 대안 속에서 다시 시작될 것이다.

하나, 재생에너지 전환을 넘어, 정의로운 에너지 체제 전환 투쟁으로 나아가자.

정부는 탈석탄을 내세우며 발전노동자 해고와 민간자본의 재생에너지 시장 진입을 독려해왔다. 정부와 자본은 전국을 전쟁터로 만들며 태양광/풍력 발전, 송전탑, 신규 석탄/LNG 발전소 건설에 여념이 없다. 이에 더해 곧 들어설 윤석열 정부는 신규 원전 건설을 공언했다. 재생에너지 전환을 넘어, 정의로운 에너지 체제 전환이 필요하다. 이는 재생에너지 전환과 함께 생태적 한계 내로 에너지 생산량 축소, 노동자와 지역주민에게 희생과 피해를 전가하는 생산방식의 전환을 포함하는 포괄적인 구조변혁이다. 바로 '공공적·민주적·생태적 에너지 체제 전환'이다. 고용위기에 처한 노동자와 난개발에 맞선 지역 주민들과 함께 '정의로운 에너지 체제 전환'을 기치로 대중적, 사회적 투쟁을 시작하자.

기후정의동맹은 '기후위기를 겪는 세계'에서 평등하고 존엄한 삶을 함께 살아가기 위한 투쟁을 시작한다. 이러한 투쟁 속에서 체제전환을 향한 광범위한 사회운동의 연대를 건설하고, 기후정의를 기치로 기필코 다른 세계를 열어낼 것이다.

2022년 4월 28일

모든 교회의 기도 제목은
기후위기가 되어야 한다

"각 기독교 교단에 강력한 기후위기 대응을 요청합니다."

출처. 기후위기기독인연대 출범선언식 기자회견문

김영준

기후위기기독인연대 공동대표
기후위기비상행동 운영위원

"한국교회는 예언자의 목소리로 명백한 기후위기의 진실을 말하고, 교회와 성도들이 먼저 행동에 나서야 한다." 2022년 2월 기후위기기독인연대(이하 기독인연대)가 출범했다. 2021년 앞서 '기후위기기독교비상행동'이 출범하며 교파를 초월한 기후위기 대응의 필요성을 알렸으나, 대부분의 교단은 아무런 대응책을 내놓지 않았다. 기독인연대는 출범선언식에서 그간 각 교단을 모니터링한 결과인 '교단 기후위기 대응현황 종합표'를 발표했다. '기후 포럼 준비', '기후위기 특별위원회 조직', '기후위기 대응지침 및 메뉴얼 제작' 등 대응은 초라했다. 주요 교단 중 소수의 교단만이 기후위기 대응 활동을 하고 있었으며, 그마저도 실천적인 측면에서 아쉬움이 많았다.

개신교 내부의 성찰과 비판으로 시작을 알린 기독인연대는 이후 다양한 형태의 활동을 전개해 나가고 있다. 기후위기 대응을 함께 고민하는 '기후정의교회네트워크'를 만들고, 교회를 직접 방문해 '찾아가는 기후학교'를 진행하고 있다. 2022년에는 지방선거를 앞두고 여러 단위와 함께 '기독교기후지방선거공동행동'을 만들어 후보들에게 '기후정의 도시를 위한 약속'을 요구했다. '성서의 눈으로 본 자본주의와 기후위기'를 주제로 한 토크 콘서트에서는 "깨끗한 부자 되라는 말은 사기이며, 기독교인은 자본주의를 벗어나기 위해 저항해야 한다"고 강조한다.

기후정의교회네트워크가 환경의 날을 맞아 드리는 연합예배는 일반적인 예배와 사뭇 다르다. 다양한 종의 이름을 부르고 그들을 사라지게 만든 인간의 죄를 고백한다. 그 자리에는 비인간 동물도 함께 한다. 하나하나의 이름을 기억하며 '애가'를 부른다. 기후위기 대응을 요구하다가 재판을 받게 된 활동가를 위해 최후진술서를 함께 읽고, '하늘 뜻 펴기'를 한다.

기독인연대의 활동에는 '정부와 국회 대응', '기후변화 커뮤니케이션'이 주요하게 자리 잡고 있다. 실질적이고 현실적인 변화를 고민하며, 동시에 기후위기를 쉬운 언어로 전하고자 하는 의지가 읽힌다. 진정한 개혁의 공간으로 거듭나기 위해 기후 운동 안에서 교회의 역할을 고민하는 기독인연대의 김영준 활동가를 만났다. 신학을 공부했던 그는 전도사였다가 녹색당의 국회의원으로 출마하며 정치 활동을 시작해, 현재는 기독인연대의 공동 대표와 기후 환경 강사로도 활동하고 있었다. 인터뷰 내내 개신교에 대한 쓴소리와 사회적 실천의 중요성을 반복해서 들을 수 있었다.

정당 운동, 사회 운동, 그리고 기후 운동

Q. 과거에 정당에서 출마도 하고, 시당 위원장 등 굵직한 활동을 하셨잖아요. 현재 정당 바깥인 시민 사회에서 활동하시고 있는 데요. 차이점이 있다면 어떤 게 있을까요?

제가 경험한 녹색당이라는 정당은 작은 정당이라서요. 거대 정당에서 활동했다면 큰 차이가 있을 텐데, 엄청난 차이가 있지는 않아요. 선거를 염두에 두는지 여부가 분명한 차이인 것 같고요. 당직이 주는 무게감이 활동가보다는 무거운 게 있어요. 현실 정치에 들어가지 못더라도 들어간다는 걸 염두하고 활동한다는 게 확실한 차이인 것 같아요.

Q. 정당을 경험한 활동가라서 느끼는 시각 차이도 있나요?

기후위기비상행동 초반에 녹색당, 정의당 정치인들이 주축이 되어서 활동할 때만 해도 정당 참여가 자연스러웠는데요. 최근 기후위기비상행동 운영위원회에는 정당이 참여하지 않는 것으로 정리되었어요. 기존에 정당들과 좋지 않은 경험이 있다 보니까 그런 판단을 했는데, 저는 당연히 정당과 함께해야 한다고 생각해요. 시민 사회가 정당을 바라보는 관점이 일종의 정치혐오라고 봐요. 물론 진보정당이 잘못한 부분도 있겠지만 아쉽죠. 현재 한국 기후정치 세력이 한 줌도 안 되는데 이렇게 정당을 제외하는 방식은 좋지 않은 것 같아요. 오히려 정당이 연대체에 참여해서 후보를 만드는 과정부터 함께 한다면 시민에게 감동을 줄 수 있다고 생각해요.

Q. 종교인 정체성으로 기후 운동하시는 분들을 찾아봤는데요. 가톨릭과 개신교가 다른 종교에 비해 상대적으로 기후 운동에 활동적으로 보이더라고요. 이유가 있을까요?

엄밀하게 말하면 개신교는 그리 활동적이지 않아요. 가톨릭은 워낙 위계가 분명하니까, 결정되면 행동력이 분명하게 있죠. 개신교는 가톨릭에 비해서 활동 범위가 너무 작아서 할 말이 없어요. 최근에 일부 진보적인 기관이 모여서 '한국교회 2050 탄소중립 로드맵'이라는걸 발표했어요. 교회가 탄소배출 감축을 위해 노력한다는 의도는 좋지만 아쉬운 부분이 보여요. 교회에서 발생하는 탄소배출을 줄이겠다는 내용인데요. 이게 유효하려면 일단 교회의 탄소 배출량이 많아야 해요. 근데 배출량에 대한 언급이 없어요. 한국의 탄소 배출량에서 교회가 어느 정도 비중인지 파악이 안 돼 있는 거예요. 그리고 새로운 게 없어요. 기독인 연대가 출범할 때 한국 교회의 실천 과정을 모니터링 했는데요. 일부 교단에서 탄소중립 선언을 하고, 활동한다는 게 환경예배 드리고 대응 매뉴얼 만들고 세미나나 포럼을 하는게 전부예요. 그나마 실천적인 게 교회 냉난방시설을 교체하고 태양광 패널을 설치하는 거예요. 종교의 역할은 사회가 똑바로 돌아가지 않을 때 권력자들을 찾아가 직접 외치는 건데, 너무 얌전해요. 지금 종교가 제대로 된 역할을 못 한다고 봐요.

Q. 개신교에 국한해 보자면, 자족적인 활동에 그치고 외부로 나
　가서 활동하지 못하는 이유는 무엇일까요?

　일단은 교단에 힘이 없어요. 개신교는 각 교회가 각자 도생하
는 하나의 벤처기업 같아요. 교단은 형식적으로만 존재하는 거
죠. 교단에서 결정해도 개별 교회가 따르지 않는 구조적인 문제
가 있어요. 한국기독교교회협의회 같은 곳도 말 그대로 협의회
잖아요. 역사적으로는 중요한 역할을 해왔지만, 지금은 중요한
역할을 하는지 모르겠어요.

　기독인연대가 출범하기 전까지 개신교에서 환경 단체라고는
교육 단체를 제외하고 기독교환경운동연대 하나밖에 없었어요.
이 자체가 심각한 문제인 거죠. 이렇게 기후위기가 심각한데 개
신교에서 이 의제를 다루는 단체가 한 개밖에 없다는 게 현실이
에요. 최근까지 통계상 개신교인이 1,000만 명이었는데 말이에
요. 기후위기기독교비상행동도 다른 종교에 비해 늦게 만들어
졌어요. 저도 기후위기기독교비상행동에 3개월 정도 참여하고
그만뒀는데요. 활동이 무척 소극적으로 느껴졌어요.

　보수적인 목사님들이 대통령실 찾아가고 국회의장 찾아가서
극우적인 주장을 대변하잖아요. 기후위기는 그렇게 하면 안 되
는 건가 싶어요. 가서 호통이라도 쳤으면 하는 거죠. 당연히 어
려운 부분이 있겠지만, 긴급성을 드러내는 행동을 종교인들이
해야한다고 생각해요. 하다못해 삭발을 하든 국회 앞에 찾아가
서 항의를 하든 할 수 있는 일들을 찾았으면 해요.

만물을 회복하고 지키라는 말씀

Q. 지금까지 소극적인 개신교의 대응에 대한 이야기를 해주셨는데, 기독교인들에게 기후위기는 어떤 의제가 되어야 할까요?

창세기 1장에서 '하나님이 그들에게 이르시되 생육하고 번성하여 땅에 충만하라, 땅을 정복하라, 바다의 물고기와 하늘의 새와 땅에 움직이는 모든 생물을 다스리라 하시니라'[1] 는 구절이 있어요. 여기서 정복하라는 말은 맥락상 지키고 다스리거나 또는 경작하라는 의미인데, 인류가 지금까지 오용해 왔죠. 지금의 기후위기는 인간이 멸종할 수준까지 왔잖아요. 홀로세[2]가 되면서 해수면이 안정되고 농사를 지으면서 인류 문명이 발달한 건데, 지금 해수면이 올라간다는 얘기는 그 문명이 다시 무너진다는 거죠. 창세기에 나오는 말씀과 반대로 훼손을 시킨 거잖아요.

만물을 회복시키는 게 예수의 중요한 사역이었는데 만물이 멸종될 위기에 처했다면, 기독교 성서가 가지고 있는 핵심적인 교리를 완전히 뒤집어 버리는 문제인 거에요. 기독교인이라면 당연히 모든 일을 제치고 나와야 하는 거죠. 이런 기후위기 시대에 모든 교회의 기도 제목은 기후위기여야 한다고 생각해요.

Q. 보수적인 성향의 기독교인이라도 하느님이 준 중요한 미션, 만물을 지키라는 요구를 부정할 수는 없을 것 같은데요. 그럼에

---

1 창세기 1:28(개역개정)

2 마지막 빙기가 끝나는 약 1만년 전부터 가까운 미래도 포함하여 현재까지를 의미한다.

도 적극적인 움직임이 보이지 않고, 현실과의 괴리가 생기는 이
유는 무엇일까요?

일단 개신교 역사 자체가 일부를 제외하곤 일제 강점기 때부
터 신사 참배에 앞장섰던 분들이거든요. 조찬 기도회에서 독재
정권을 승인해 주는 사람들이었으니까, 사회 문제와 교회를 분
리시키고 사회 문제에 관심 가지는 사람을 빨갱이나 불순한 사
람처럼 몰아갔죠. 기후 문제도 그런 연장선에 있는 것 같아요.
기후 문제를 이야기하면 체제전환을 빼놓을 수 없는데, 그러면
자본주의를 철폐하고 공산주의를 하자는 거냐는 이야기가 나올
거예요. 전략적으로 이걸 어떻게 설명해야 할지 고민 중인데요.
사실 보수적인 신학에서도 기후위기에 대응의 필요성에 관한
근거는 충분히 발견할 수 있다고 생각해요. 성서에서 가장 중요
하게 얘기하는 '하나님나라'라는 게 하나님이 통치한다는 개념
인데요. 하나님나라의 통치를 떠받치고 있는 두 기둥이 공평과
정의거든요. 공평과 정의는 사회적 참여를 배제하고 행할 수 없
잖아요. 교회 내에서만 이루어질 수 있는 것도 아니고, 성서에서
도 그렇게 이야기하지 않고 있거든요. 진보적인 신학을 이야기
하지 않더라도 너무 당연하다고 생각해요.
저도 신학대학원 나와서 한때는 목사가 되는 과정을 잠깐 밟
기도 했지만, 제 소명이 아니라는 생각에 그만뒀는데요. 요즘에
는 이런 활동을 하는 목사도 필요하다는 생각이 많이 들어요. 교
회가 아무리 욕을 먹는다고 해도 현장에서 목사가 발언하고 행
동하는 게 영향을 많이 주더라고요. '성직자'라는 존재가 주는

힘이 있어요. 사제, 신부님 중에 그런 역할 해주시는 분들이 많은데, 신부님만큼 목사님이 보이지는 않으니까 아쉽죠.

교회가 해야 하는 일을 고민하는 기독인연대

Q. 기독인연대 대표이시잖아요. 이 단체가 추구하는 미션은 무엇일까요?

내부적인 목표와 외부적인 목표가 있는데요. 내부적으로는 기후위기에 관심 있고 활동을 원하는 교회들을 묶어내려고 해요. '기후정의교회네트워크'라는 이름으로 교회 조직을 하고 있어요. 아직 다섯 개 교회밖에 없지만, 네트워크를 확장해 나가고 있고요. 그걸 위해서 '찾아가는 기후학교'라는 프로그램을 하고 있어요. 저희한테 신청을 주시면 최대한 시간에 맞춰서 발제하고 소통하는 시간을 가져요. 그러면서 '기후정의교회네트워크'에 참여해달라고 제안하고 있고요. 후원해 주신 분들께 감사 전화를 드리다 보면, 본인 교회에 기후위기를 같이 이야기할 사람이 없다는 이야기를 종종 듣게 돼요. 수가 적더라도 혼자 고민하는 분들이 있거든요. 그런 분들을 연결해 드리고 활동을 할 수 있도록 역할까지 드려야겠죠. 교회 내부에서 기후 모임을 하려면 어떤 게 필요할지 매뉴얼을 만들고 있어요. 신학적 메시지를 어떻게 전달해서 성도들을 설득할 수 있을지, 워크숍을 하면서 준비 중이에요.

Q. 네트워크는 교단이 아니라 개별 교회로 접근하고 있나요?

소위 진보적이거나 개혁적이라고 부를 수 있는 교회의 수는 무척 적어요. 대부분 서로 알수 밖에 없죠. 그렇게 알려진 교회부터 접촉 중이에요. 저나 함께 활동하는 분들이 성장한 교회들이기도 하고요. 기후위기를 이야기했을 때, 긍정적으로 반응할수 있는 교회들인 거죠. 그렇다고 특정 교단이나 교회만을 대상으로 활동하는 건 아니에요. 계속 확장해 나갈 예정이에요. 울타리 안에 있는 친근한 교회부터 차근차근 확장해 보려고요.

Q. 네트워크가 어느 정도 규모로 모이면 하고 싶은 활동이 있나요?

구체적으로 고민해 보진 않았지만, 네트워크에 속하는 교회의 수가 만 단위 이상으로 넘어간다면 그 자체로 한국 교회에 큰 파장을 일으킬 거예요. 다만 규모가 커질수록 저희 손을 떠날 수밖에 없다고 생각해요. 지금은 저희가 일종의 간사 단체처럼 활동하지만, 일정 기간이 지나면 네트워크 재정을 따로 분리하고 사람도 세워야겠죠. 저희랑 긴밀하게 협력은 하겠지만 그렇게 분리되는 게 민주적이라고 생각해요. 물론 교회라는 한계가 있어서 직접적인 활동에 제약이 있겠지만, 그럼에도 사회에 메시지를 분명하게 던지고 현장에서 활동하면 좋겠어요. 지금은 그런 활동이 잘 안 보이니까요. 교회가 그런 활동을 하지 않으니, 성도들도 교회가 해야 하는 일이라고 생각을 못하는거죠.

우리끼리만의 네트워크가 아닌, 사회에 영향을 주는 활동이 되었으면 해요.

Q. 교회 내부에서 정치적인 활동에 알레르기 반응을 보이는 분들이 있잖아요. 기독인연대의 활동도 너무 정치적이라고 불편해하는 시선은 없나요?

아마도 보수적인 교회에 계시는 분들은 적잖이 그럴 수도 있겠죠. 그런데 보수 대형교회 목사님들은 이미 정치에 참여하고 있잖아요. 동성애 반대한다고 주장하는 기독교인들도 있고요. 그분들이 기독교의 이름으로 혐오하지만 실제로는 낯선 것에 대한 두려움이 근저에 있다고 봐요. 우리 사회 자체가 소수자들을 낯설고 이질적인 존재로 보기 때문에 그런 게 아닐까 싶어요. 교회가 말하는 정치 참여도 비슷한 것 같아요. 종교와 정치가 분리되어야 한다고 주장하는데, 교인이라서 그런 이야기를 하는 게 아니라 한국 사회 전반에 깔린 문화 같은 거죠. 한국 정치가 다당제 구조이고 정치인에 대한 신뢰가 높은 사회였다면, 보수적인 교인들이 그렇게까지 정치 참여를 거부하지 않았을 수도 있겠다 싶어요.

Q. '기후변화 커뮤니케이션'이라는 주제로 연재 글을 쓰셨던데요. 기후 운동과 대중이 어떻게 만날지 고민이 많으신 것 같습니다.

　지금까지 기후변화 이슈는 기후과학의 담론으로만 얘기되어 왔어요. 평범한 사람들의 언어와 이야기로 전달이 되어야 하는데, 그게 아니었던 거죠. 저도 기후위기 공부하면서 용어가 어려워서 여러 번 찾아보고 그랬는데요. 이 활동을 오래 하신 분들은 평범한 사람들의 감각과 다를 수 있어요. 우리가 당연하게 여기는 표현이 다른 사람들에게는 생소하게 느껴질 수 있겠죠. '2030 NDC 45%' 이런 글씨가 적힌 현수막을 보면 대부분의 사람은 이해하기 어려울 거예요. '2030년까지 온실가스를 절반으로 줄여야 합니다' 이렇게 풀어서 쓸 수 있잖아요. 평범한 시민들이 접근할 수 있는 방식, 이해할 수 있는 방식의 운동이 필요하다고 생각해요.

　그런데 제가 보기에 상대적으로 그런 고민이 부족해요. 임박해서 운동이나 액션을 기획하다 보니 평소에 미리 논의하지 못하는 거죠. 상시로 그런 논의를 전담하는 팀이 있어야 체계적으로 돌아갈 수 있을 텐데 지금은 정부가 잘못하면 계속 대응만 하고 있어요. 제가 이해하는 캠페인은 일련의 행동인데요. 그동안 기후 운동은 일련의 행동이 아니라 그냥 행동만 있었던 거죠. 주로 달력 행동이라 부르는, 시기에 맞춰서 해야 하는 활동이 많았어요.

▌기후정치를 위한 진단

Q. 현재 한국 사회에서 영향력 있는 기후정치 세력이나 움직임
이 나타나지 않는 근본적인 이유는 무엇일까요?

인플루언서는 있죠. 소수의 인원은 있는데 대표적인 정치인
은 없어요. 전반적으로 기반이 약한 것 같아요. 사회 전반에 기
후위기라는 의제와 관련된 여러 활동이 쌓여있어야 가시적인
게 드러날 텐데 아직 아닌 거죠. 설문조사를 보면 80~90% 사람
들이 기후위기를 알고 있다고 답변하는데 심층 조사를 보면 다
르거든요. 여전히 표면적으로는 인식하고 있지만 기후위기를
제대로 알고 있지 못한다고 생각해요.

Q. 기후정치가 확장성을 가지고 나아가기 위해서는 무엇이 필
요할까요?

목표를 좁게 세워야 해요. 단체의 역량은 한계가 있잖아요. 그
런데 국회도 대응하고 정부도 대응하고 기업도 대응하겠다고
해요. 물론 중요하지만, 중요하다고 모든 걸 다할 수 없잖아요.
솔직히 국회 대응 하나만 해도 버거워요. 법안 하나를 만들어서
통과시키는 것도 쉬운 게 아니잖아요. 예를 들면, 차별금지법제
정연대는 차별금지법을 제정한다는 명확한 목표가 있잖아요.
많은 단체가 함께하더라도 목표가 정확하게 보이니까 설명하지
않아도, 어떤 활동을 할지 알아서 판단할 수 있는 거죠. 지금 기

후정의운동에서 실천해야 할 우선 순위 활동을 구체적으로 설명할 수 있는 단체가 몇 개나 될까요. 맥락을 알기도 어렵고, 현실적으로 어려운 목표도 있고요. 현실 가능한 목표를 세워서 목표에 맞게 전략을 만들어야 해요. 역량을 어떤 방향으로 집중할 건지 정했으면 해요. 잘 포기하는 것도 중요하거든요.

그리고 전체 그림이 필요해요. 큰 그림 안에서 개별 단체가 퍼즐을 맞추듯이 역할을 찾아가야 하는데, 단체가 자체적으로 그런 로드맵을 그리지 못하고 있어요. 그러니까 규모가 큰 연대체를 따라가고 결국 연대체의 집행위원회 일만 남게 되더라고요. 그런데 그분들도 각자 역할이 있고 자체 상근자가 아니다 보니, 기존 단체에서 일을 그만두거나 개인 사정으로 변동이 있으면 연속성이 떨어지는 거죠. 결국 남은 분들 몇 분이 끌고 가다가 지쳐서 진행하기 어려운 상황이 되는 것 같아요.

02

정치의 가능성을 설득하는 일

"이제는 기후위기를 고민하는 시민, 활동가 모두에게
'정치가 우선이다'라는 말을 해야 한다고 생각해요."

김혜미

전 녹색당 부대표

녹색당은 2012년 창당부터 현재까지 강령에 '기후변화'가 언급된 유일한 정당이다. 지난 10년 간 '녹색 전환'을 외치며 한국 사회가 직면한 과제를 기후·생태 위기, 불평등·사회 위기로 인식하고 기후정의와 불평등을 연결시켜 왔다. 지난 2020년 총선에서 녹색당의 슬로건은 '기후위기 막고, 삶을 지키는 그린뉴딜'이었다. 기후위기 비상 상태를 국정목표로 두고 녹색당 국회의원의 필요성을 호소하며 탈탄소 순환경제 산업과 정의로운 전환을 위한 정책을 내걸었다. 하지만 비례위성정당 참여를 두고 일관된 기조를 유지하지 못해 결국 당내 논쟁이 벌어졌고, 그 과정에서 적지 않은 당원들이 탈당하며 위기를 맞이했다. 기후정의의 관점이 정치의 공간에 깃들 수 있도록 공론의 장을 열기 위해 애써왔지만 아직까지 원내에 진입한 녹색당의 정치인은 없다.

현재 녹색당이 펼쳐갈 기후정치를 위해 당내 리더십 체계와 역량을 성찰하고, 지금 발 딛고 있는 자리에서 정치 활동을 멈추지 않는 사람들이 있다. 녹색당의 부대표 김혜미도 그 중 한 사람이다. 그는 2022년 지방 선거에서 녹색당의 서울 마포구 구의원 이숲 후보 캠프의 선거대책본부장을 맡기도 했다. 당시 캠프의 슬로건은 '선거는 쓰레기가 아니니까'였고, 당원들과 함께 '저탄소 선거운동'에 도전했다.

새로 이사한 당사에서 만난 김혜미 부대표는 열성적이었다. 시민 단체와 다르게 없다는 세간의 평가에 강하게 반론을 제기하는 그의 말에는 정당으로서 녹색당의 역할에 대한 자신감이 묻어났다. 정치의 가능성과 신뢰의 회복에 골몰하며 현실적이고 유의미한 기후정치를 위해 녹색당이 무엇을 만들 것인지 상상과 실천을 도모하고 있는 그의 인터뷰를 소개한다.

녹색당의 기후정치와 기후정의위원회

Q. 그동안 녹색당에서 기후위기와 관련된 논의는 어떻게 전개
되어 왔나요?

녹색당이 출발한 지점은 '탈핵'이었어요. 후쿠시마 핵발전소
사고 이후 '어떻게 안전한 사회를 만들 것인가'라는 질문과 목소
리가 녹색당에 모였고, 2018년 지방선거를 치르면서 정당으로
서 정치 지형을 고민하는 시기를 통과해왔죠. 에너지 전환 문제
에 있어서 녹색당은 대안적인 방향을 찾아가는 역할을 해왔던
정당이에요. 녹색 의제가 경제나 사회 정책과는 거리가 있는 것
처럼 여겨지는데요. 2020년 총선에서는 기후위기가 실제 사람
들의 삶, 먹고 사는 문제와 어떻게 직결되는지와 관련해 그린뉴
딜이라는 공약으로 드러나기도 했어요. 당시 위성정당 사태와
연동해 스텝이 맞지 않았던 부분도 물론 있었지만요.

그동안 녹색당의 기후정치의 핵심은 지역 사회 안에서 기후
운동과 어떻게 호흡할 것인지 끊임없이 시도해왔다는 점에 있
다고 생각해요. 기후위기비상행동이 지역 곳곳에서 만들어지기
시작할 때, 녹색당은 아래로부터의 기후정치를 어떻게 실현할
것인가 질문하며 지역당 중심으로 고민을 전개해왔어요. 지금
은 기후정치를 어떻게 세력화하고, 현실 정치에 반영할 것인가
와 관련한 조직적인 질문을 만나고 있는 시기예요. 정당이라는
조직에서 중앙 권력의 중요성을 인식하게 되는 시점이기도 하
고요. 당헌개정을 통해 부대표를 신설하고, 당무위원회를 두는

등 여러 시행착오를 겪고 있는데요. 그동안 녹색당이 기후정치에서 적극 노력해온 부분이 풀뿌리 조직이었다면, 현재로서는 당의 자원과 역량을 키워나가는 데 집중하고 있어요.

Q. 기후위기에 대응하는 단위가 별도로 존재하나요?

기후정의위원회가 있어요. 2018년 총선이 끝난 후 2020년 총선을 대비한 특별위원회로 출발했는데요. 기후정치를 더 주요하게 다뤄야 한다는 공감대 속에서 현재는 분별위원회로 변경되었어요. 녹색당에서 가장 많은 당원이 소속되어 있는 위원회이기도 해요. 현재 당의 전반적인 조직이 취약하다 보니 분별 위원회의 활동이 적극적으로 드러나지 않는 측면이 있긴 한데요. '924 기후정의행진'이나 '414 기후정의파업' 등에 조직적으로 참여하고 직접적인 정치 활동을 통해 목소리를 내고 있어요. 녹색당에서 기후정치는 당론이기에 다른 정당에서 특정 부문으로 다루는 방식과는 조금 결이 다르다고 생각해요.

Q. 기후정의위원회의 활동을 포함해 녹색당 내에서 기후정치
   와 관련된 논의는 어떤 위치에 놓여 있나요?

어려운 질문인데요. 녹색당 당원은 기후정치를 하려고 모인 사람들이에요. 어떤 메시지를 보내고, 어떤 문제의식을 가질 것인지 이름부터 명확하지요. 가령 정의당의 경우 당내 기치로 삼은 복지국가나 사민주의를 기반으로 기후위기를 고민한다면,

녹색당은 기후정치를 기반으로 기후 문제를 고민하는 거죠. 분명한 카테고리 안에서 논쟁을 하다 보니 차이가 작을수록 합의에 이르는 게 굉장히 어렵기도 해요. 그 간극을 좁혀나가기 위해 기후위기 관한 현실 인식, 정책 공약 등을 구체적으로 논의하는 자리를 만들고, 작은 크기의 차이를 인지하는 데 노력하고 있고요.

기후위기 의제의 우선 순위와 관련해서도 당원분들과 함께 더 적극적으로 고민해보고 싶어요. '시민은 어떤 이슈에 더 관심을 두고 있을까' 대중화 전략을 세우기에 앞서 이런 질문을 고민해보는 게 시민을 믿는 방식이라고 생각해요. 시민이 관심을 두는 문제라면 정당으로서 자기 역할을 준비할 필요가 있으니까요. 기후위기라는 카테고리 안에서 벌어지는 수많은 일을 논의하고 결정하는 자리에서 작은 크기의 차이에서 비롯된 어려움을 인지하고, 당 바깥에서는 현안에 대해 집중하고 살펴보는 일. 이 과정 자체가 시민이 모여 사회를 바꿀 수 있다는 사실을 신뢰하는 일이라고 봐요.

Q. 2021년부터 2022년까지의 녹색당 기후정의위원회 활동 평가서를 보니 P4G 대응 단식농성, 탄소중립녹색성장 법안 대응 국회 농성, 온실가스 감축목표 대응 직접 행동, 기후 재판 등 빠르게 대응하는 방식의 활동을 펼쳐왔어요. 기후위기의 의제가 전개되는 속도가 워낙 빠르다 보니 구체적인 방향성과 목표를 가지기보단, 대응에 중점을 두는 경향성이 보이기도 해요. 기후정의위원회의 활동과 관련해 녹색당의 기후정치는 어떤 고민이

더 필요하다고 생각하나요?

기후정의위원회의 활동 평가에는 내부적인 요인과 외부적인 요인이 동시에 작동했다고 보는데요. 내부적으로는 녹색당이 고질적으로 직면하는 리더십 체계와 관련된 부분이 있어요. 당내에는 결정 권한을 가지고 책임을 지는 인물이 늘 불분명했어요. 녹색당이 선명한 결과와 사례를 만들어내고, 이를 바탕으로 시민을 설득하려면 결정하고 책임질 수 있는 리더십이 필요하다고 생각해요. 이러한 내부적인 요인은 기후정의위원회의 활동뿐 아니라 녹색당이 총체적으로 직면한 평가이기도 하고요. 외부적으로는 정말 다양한 지역에서 환경과 생태 문제가 터지고 있잖아요. 기후위기의 현장은 너무 많은데, 지역마다 생겨난 투쟁 현장을 녹색당의 지역당이 현재로서는 전부 감당할 수 없는 상황이에요. 그렇다면 어떤 의제를 어떠한 방식으로 논의하고 고민할 것인지 전략적인 판단이 필요한 지점이 존재해요. 이런 전략적 판단 또한 리더십 체계와 연동되는 지점이 있을 테고요.

Q. 2021년 탄소중립위원회(이하 탄중위)와 관련한 대응은 한국의 기후운동에서 노선의 차이가 드러났다는 점에서 중요한 분기점으로 작동했어요. 녹색당은 결국 '탄중위 해체 공대위'에 직접 참여하지 않고, 탄중위의 시민 위원과 소통하면서 탄중위를 압박하는 방향으로 입장을 정리했는데요. 관련한 논의를 어떻게 보셨나요?

사실 규모가 있는 환경 단체가 거버넌스에 들어가는 일은 굉장히 자주 있는 일이었잖아요. 탄중위 논의의 경우, 기후위기 운동이 급진적으로 커가는 과정이 함께 작동했다고 생각해요. 불복종 운동 등 급진적인 단체가 등장하고, 기후위기와 관련해 호응하는 사람이 늘어가면서 입장을 낼 수 있을 정도의 세력이 생긴 거죠. 그런 맥락에서 거버넌스에 관한 문제의식이 더 많은 사람이 모이고, 시기적으로 '탄중위 해체 공대위'도 좀 더 영향력을 가지게 된 게 아닐까 하는 생각도 드는데요. 시민 사회 단체가 제도 권력에 영향을 발휘할 수 있는 다양한 방법 중 하나가 거버넌스라고 볼 때, 한편으로는 거버넌스의 참여 여부 이슈가 너무 과대평가 되고 있는 건 아닐까 싶어요.

물론 공당으로서 거버넌스를 바라보는 관점은 사회 운동의 관점과는 달라야겠죠. 탄중위 사례뿐만 아니라 거버넌스나 위원회 기구가 제대로 작동하지 않을 때, 정당은 어떤 관점으로 판단할 것인지 녹색당에서도 고민이 더 필요하고요. 당시 정의당의 경우, 대선 후보를 내서 더 선명한 입장을 발표하기도 했는데요. 녹색당은 대선 후보를 내는 대신, '기후대선운동본부'를 만들어서 총력을 도모하던 시기였어요. 선거 시기와 겹치다 보니 다면적으로 평가해 볼 지점이 있는 것 같아요.

Q. 녹색당이 기후정치와 관련해 유의미한 흐름을 만들고 있는 지점과 부족하다고 판단되는 지점이 있다면 무엇일까요?

기후위기가 사회적 불평등과 연결되었다고 이야기할 수 있게 된 건 그동안 녹색정치가 있었기 때문에 가능해졌다고 생각해요. 이전까지 녹색 의제가 부수적으로 다뤄지거나 보기 좋은 액세서리에 불과했다면, 잘하든 잘하지 못했든 10년간 기후 문제를 골똘히 고민하고 삶의 문제와 연결하는 정치적 역할을 녹색당이 만들어왔던 거죠. 하지만 실질적으로 어떻게 반영할 것인가와 관련해 녹색당이 놓치고 있는 부분도 존재해요. 기후위기를 바라보는 입장의 스펙트럼이 넓다 보니 속도가 느릴 수밖에 없는 지점도 있고요. '제도 정치에 반영하는 것이 중요하다' 부터 '녹색당이라면 더 선명하고 급진적인 이야기를 해야 한다' 까지 다양한데, 아직 깊이 있는 토론으로 이어지지 못한 상태라고 봐요. 기후 위기가 사회 불평등, 양극화, 삶과 연결되어 있다는 감각을 기르는데 녹색당이 실마리를 제공했다면, '그래서 어떻게 해야 할까'에 대한 답을 확실하고 빠르게 줄 수 없는 어려움이 공존하고 있어요.

정당 운동 안에 늘 2순위였던 기후정치

Q. 정당 운동 안에서 기후위기라는 의제는 어떤 위치에 놓여있다고 보시나요?

기후위기는 정당 운동 안에서 늘 2순위였다고 생각해요. 1순위는 정당마다 다를 테고요. 그것부터 인정하는 게 정당 활동가가 해야 하는 일인 것 같아요. 녹색당은 기후 위기가 현실 정치에서 2순위에 머물러 있는 것에 분노하는데 그치지 않고 1순위로 만들자는 주장을 펼쳐왔는데요. 이제는 기후 문제를 해결하기 위한 '정치'가 필요하다는 주장을 할 필요가 있지 않을까 싶어요. 기후정치의 필요성에 공감하지 않는 사람은 없잖아요. 적어도 눈치는 보죠. 윤석열 대통령만 해도 해외 나가면 기후위기가 중요하다고 말하잖아요. 하지만 1순위로 다루지는 않고 있죠.

녹색당에게는 최우선의 이슈이지만 사회적으로는 최우선으로 다뤄지지 않을 때, 우선 순위로 만들기 위해 어떠한 연결고리를 만들 것인가. 이 지점에서 저는 정치의 가능성을 설득하고 싶어요. 정치는 문제를 해결하는 일이에요. 사회 운동이 문제를 발굴하고 제시하는 역할을 한다면, 정치는 결론적으로 문제를 해결해야 하죠. 정치가 삶의 문제를 해결하지 못하고 있으니 사람들이 정치를 신뢰하지 않고 무관심, 차별과 혐오, 더 나아가 극단적인 정치가 난무해지는 상황이 되었는데요. 문제를 해결하고 결과를 만드는 정치의 복구 작업이 필요하다고 생각해요.

Q. '기후정치'의 의미를 어떻게 정의하고 있나요?

저는 '기후 문제도 정치적이다'라고 이야기하는 것이 '기후정치'라고 생각해요. 단순한 과학적 사실이나 환경 문제가 아니라요. 이제 정치가 삶의 문제가 아니라고 생각하는 사람은 없잖아요. 마찬가지로 기후도 정치의 문제라고 여기게 하는 말이 '기후정치'인 거죠. 가령 뛰어난 과학 기술로 기후 위기를 해결한다면, 그건 그냥 '기후 기술'에 불과할 거예요. 정치적으로, 제도적

으로, 사회 문화적으로 변화가 필요하다는 점을 인식하고 기후
위기를 총체적으로 접근하는 정치의 영역. 이게 제가 해석한 '기
후정치'의 의미예요.

> Q. 현재 한국 사회의 기후정치의 지형에 대해 어떻게 진단하고
> 있나요? 가장 문제적인 요소는 무엇이고 이를 해소하기 위해 필
> 요한 것이 있다면요?

현재 기후위기와 관련해서는 제대로 작동되는 게 하나도 없
어요. 유럽은 규제를 강화하는 방식으로라도 기후 문제를 풀어
가려는 시도가 있다면, 한국은 아무런 대응을 못 하고 있는 상
황이에요. 정치가 제대로 작동하지 않으니 더 자본의 영역으로
흘러가기도 하고요. 정치가 중재와 조정을 해야 하는데, 국회
나 행정부는 완전히 실패했어요. 그 대표적인 사례가 '탄소중립
기본계획'이죠. 윤석열 정부는 이전 정부보다 더 후퇴한 방식으
로 '탄소중립기본계획'을 세웠는데 국회는 제대로 견제하는 기
능을 수행하지 못하고 있어요. 겨우 만들어 놓은 '기후위기특별
위원회' 역시 온전히 대응하지 못하고 있고요. 결국에는 기후정
치의 세력화에 실패했다고 봐요. 기후정치가 세계적인 흐름 속
에서 중요도가 높아지다 보니 국회의원이 관심 갖는 척은 하지
만, 실은 이 문제를 긴 시간 살펴보면서 정치 활동을 해 본 사람
은 없는 거죠.

> Q. 그렇다면 구체적인 변화를 만들어내는 기후정치를 위해 필

요한 것은 무엇일까요?

일단 적극적인 정치 활동과 정당 운동에 개입하는 것이 필요해요. 기후 운동과 기후정치가 어떻게 만날 것인지 더 고민하는 과정도 필요하고요. 현실은 정책 질의나 협약 등의 형태로 머물러 있는데 이러한 방식은 명확한 한계가 있다고 봐요. 저는 정치가 더 사회적으로 유의미하게 쓰이고 작동되어야 한다고 생각하는데요. 기후 운동 내의 탈정치적이거나 반정치적인 분위기를 어떻게 바꾸고 반전시킬 것인가 늘 고민하게 돼요. 이제는 돌이킬 수 없는 시간이 오고 있잖아요. 가령, 후쿠시마 오염수 방류와 관련해 정당들이 단순히 반대 입장만 낼 것이 아니라 어떤 대안이 있는지 제시하고 선도할 수 있는 정치 세력이 필요하다고 보는데 아직은 부재한 것 같아요. 더 많은 부분에서 정치의 가능성을 신뢰하고 공감하는 이들이 늘어날 때 가능하지 않을까요.

기후위기를 해결할 수 있는 공간으로서 정치

Q. 기후위기를 다루는 여러 형태의 활동이 존재합니다. 다양한 활동 중 왜 정치 활동, 정당 운동이 중요하다고 생각하나요?

저는 다양한 사회 문제를 연결하고 해결할 수 있는 공간을 정치라고 봤어요. 정치의 전제는 협의, 조정, 타협이 가능하다는 점이거든요. 기후 문제와 사회 불평등이 연결되었다고 인식하게 된 게 얼마 되지 않았죠. 경제 성장이 곧 분배를 만든다고 믿어왔던 시간이 훨씬 길어요. 경제 성장과 분배의 연결고리를 끊어내는 역할을 기후정치가 해야 한다고 생각해요. 서로 다른 이해관계를 지닌 사람들이 정치적인 입장을 제시하고, 타협과 조정을 거치면서 좀 더 나은 사회를 만들 수 있다고 믿어요. 그렇다고 '한국 정치가 그러한가?' 묻는다면 지금은 물론 그렇지 못하죠. 그게 제가 정치 활동을 시작한 이유이기도 해요.

Q. 녹색당은 '소수 정당과 원외 정당의 위치에서 과연 사회 운동과는 다른 정당으로서 의미 있는 활동을 만들어 왔는가'라는 비판을 적지 않게 맞닥뜨려 왔어요. 기후 운동과 관련해서는 어떻게 보시나요?

이제 녹색당도 보다 정당적인 입장에서 위치에 관한 고민을 키워야 한다고 생각해요. 한국의 정당법 체계 안에서 정당이라는 성격을 택한 조직이라면, 실질적인 영향력에 관한 고민이 필요해요. 녹색당이 원외 정당으로서 급진적인 주장을 가지고 나아가길 기대하는 분들도 있을 텐데요. 한편으로 이러한 기대가 소수 정당에서 대안 정치를 하겠다고 모인 사람들이 정치적 영향력을 발휘하는데 어려움으로 작동하진 않았을까 싶기도 해요. 2020년에 녹색당이 겪은 위성정당 사태도 같은 맥락의 이슈가 충돌한 사건이었다고 봐요. 어떤 방식으로든 이제 원내에 녹색당이 있어야 한다는 세력과 기득권 정치를 비판하는 대안 정치 세력으로서 그런 방식은 옳지 않다는 입장의 충돌이었어요. 앞으로 다가올 선거 시기에 같은 상황을 반복하지 않으려면 녹색당은 근본적으로 어떤 조직이고, 정당으로서 어떤 역할을 하고 싶은지 논의해야 하는 자리가 더 자주 필요하다고 생각해요. 기후 운동을 하면서 정치적 변화의 필요성을 고민하는 분들과 이런 이야기도 해보고 싶어요. 현재의 룰로 기후정치를 실현하기 불가능하다면 현재 정치를 만드는 룰에 대한 반대를 같이 해볼 수 있지 않을까요.

Q. 그렇다면 기후 운동과 녹색당의 기후정치는 어떻게 만날 수 있을까요?

기존의 환경 운동과 기후정의운동은 결이 조금 다른데요. 기존의 환경 운동은 결국 여러 형태로 정치에 늘 개입해왔거든요. 다만 대안 정치, 새로운 정치에 개입하기보다는 양당을 너무 믿어온 게 아닌가 싶어요. 물론 녹색당이 더 역량을 보여주고 잘 해내야 하는 지점도 존재합니다만, 녹색당이 잘 할 수 있다는 믿음을 그동안 시민 사회와 얼마나 교류해왔는지는 의문이에요. 환경 운동은 결과를 만들기 위해 나름의 선택을 해왔는데, 선택이 번번이 좋지만은 않았고, 현재로서는 어떠한 정당과도 제대로 된 접점을 만들지 못한 상황이죠. 그 과정에서 환경 운동과 녹색당 사이에는 긴장 관계가 형성되기도 했고요. 한편으로는 기후정의운동 안에서는 일반 시민이 느끼는 정치 혐오보다 더 강력한 정치 불신이 느껴지기도 해요. 이 불신을 어떻게 불식할 것인가 함께 토론해보고 싶어요. 사회 운동이 좋은 질문을 던지고 방향을 정하는 역할을 수행한다면, 현실의 정치는 그 안에서 조정하고 결과를 만드는 역할을 하니까요. 각자의 위치에서 사용하는 언어와 주장이 다르다는 것을 존중하는 정치 문화도 필요할 것 같고요.

현재 기후정의운동의 급진적인 방향성 역시 유사한 맥락에 놓여 있다고 봐요. 과거 정치에 개입한 시도들이 있었지만 석연치 않으니, 이제는 훨씬 더 급진적이고 선명한 운동이 등장하게 된 거죠. 맥락은 이해되지만, 저는 그럼에도 급진적인 주장까지 가기 위한 거리를 조정하고 시민과 속도를 맞춰 호흡하는 역할이 중요하다고 생각해요. 녹색당이 기후 운동에서 그런 역할을 만들어가야죠.

Q. 녹색당이 정당으로서 기후정치에서 견인해야 하는 구체적인 역할은 어떤 것이 있을까요?

녹색당이 수년 동안 기후위기가 문제라고 이야기해왔잖아요. 그동안 '기후 문제를 해결하기 위해 녹색당이 원내에 들어가야 한다'가 주요한 논리였다면 이제는 기후 위기를 고민하는 시민, 활동가 모두에게 '정치가 우선이다'라는 말을 해야 한다고 생각해요. 정치의 필요성, 정치의 가능성을 설득하는 것. 기후 문제를 해결할 수 있는 공간이 정치이다. 이 지점을 설득하는 것이 기후정치에서 녹색당이 해야 하는 사회적 책무라고 봅니다.

정치가 필요하다는 합의의 과정

Q. 실질적인 기후정치의 세력화를 위해 함께 고민해봐야 하는
질문이 있다면 무엇일까요?

이제 사람들이 날씨, 기온, 계절의 급변을 체감하고 있다고 느
껴져요. 많은 사람과 함께 기후가 변화하는 동안 어떤 일이 일어
났는지 함께 질문해보고 싶어요. 어떤 선택을 통해서 현재의 결
과가 나왔을까요? 과거의 선택이 지금의 결과를 만들었다면, 이
제는 다른 선택이 필요하지 않을까요? 그동안 기후위기의 심각
성을 강조하는 방식으로 유의미한 과정을 만들어왔다면, 이제
위기인 것은 모두 다 알잖아요. 그렇다면 그동안 어떤 선택을 해
왔는지 돌아보고 어떻게 다른 선택을 만들 것인지 질문해야 한
다고 생각해요. 그 다른 선택을 만드는 여러 방법의 하나로 투
표와 정치가 있고요. 이 영역에서는 과거와는 다른 선택을 어떻
게 만들 것인지 함께 고민하고 설득하는 과정을 만들고 싶어요.

Q. 정당은 선거라는 시기를 중심으로 논의와 전망이 형성됩니
다. 선거 때마다 기후위기는 시급한 의제로 떠오르지만, 진보 정
당이 당장 유의미한 교섭단체나 여당으로 집권하기를 기대하
기는 쉽지 않은 상황인데요. 녹색당이 그리고 있는 기후정치의
전망은 어떠한가요?

저는 정치가 필요하다는 합의를 만드는 게 먼저라고 생각해

요. 정당 운동을 하는 사람들이 그 합의를 현재까지 만들어내지 못한 것이기도 하고요. 당원 분들께 듣는 이야기 중 가장 마음 아픈 말은 "녹색당 당원이지만 녹색당 찍으라는 말을 자신 있게 하지 못하는 순간이 있다"는 것인데요. 정치 혐오가 심한 한국 사회에서 정당에 가입하고, 정당 활동가의 삶을 선택하는 건 어려운 일이잖아요. 그런 말을 들을 때 저는 정당 운동을 더 열심히 해야겠다는 결심을 하게 되는 것 같아요. 녹색당이 그리는 전망의 방향은 좁게는 책무와 권한을 가진 당원들과, 넓게는 녹색당을 지지하게 될 유권자와 함께 한국 사회에 실종된 정치가 필요하다는 합의의 과정을 만드는 것이에요.

Q. 정치가 필요하다는 합의의 과정을 구체적으로 어떻게 넓혀 나갈 수 있을까요?

정당은 선거 시기를 어떻게 활용할 것인지가 중요하게 작동하죠. 선거 기간을 합의 과정을 만들고 깊이 있는 논의를 진행하는 시기로 삼을 수 있어야 해요. 단순히 출마 여부 자체를 결정하는 게 아니라, 녹색당이 선거라는 공간 안에서 어떤 역할을 할 것인지 고민하는 시기로서요. 하나의 정책 공약을 만들고 결정하는 과정 자체가 결국 정당이 어떤 사회적 책임을 질 것인지 약속하는 행위라고 봐요. 개인적으로는 서울 마포구 구의원 선거가 큰 경험으로 남아있는데요. 당원들과 함께 1년 반이 넘는 시간 동안 선거를 준비했어요. 마포 지역에서 가장 중요한 문제는 무엇인지, 그 문제에 대해 녹색당은 어떤 제안과 약속을 할

수 있는지, 이 사회적 약속을 달성하기 위해 어떤 특성의 대표
인물이 적합한지 결정하고, 책임과 권한을 분배하는 동안 녹색
당이 마포구에서 펼치고 싶은 정치적 방향이 더욱 선명해졌어
요. 선거를 완주하기 위해 함께 할 사람과 활동을 조직하는 과
정이 정당에는 중요한 경험으로 남는 거죠. 선거를 매개로 정치
활동에 참여하고 경험을 확장하는 시간이 모두에게 더 많아져
야 한다고 생각해요.

Q. 기후정치와 관련해 진보 정당의 연합으로 무언가를 도모해
볼 가능성은 없을까요? 관련한 논의를 어떻게 보시나요?

저는 진보 정당이 단순히 모인다고 해서 기후정치를 잘할 거
라고 판단하진 않아요. 그런 방식이 오히려 낡은 관점이라고 생
각해요. 그런 사고방식에 균열을 내는 게 녹색당의 역할이 되길
바라고요. 매우 큰 꿈일 수도 있겠지만요. 진보 정당은 각자 나
름 해결해야 하는 문제와 이슈가 있어요. 노동, 빈곤, 인권 등 정
당마다 자신의 과업이 있잖아요. 다양한 과업을 공적 공간에서
논의할 수 있는 것을 다당제 민주주의라고 본다면, 진보정당 연
합 논의만큼 어떻게 국회 안을 다양하게 구성할 것인지도 긴급
하고 중요한 의제라고 생각해요.

Q. 마지막으로 기후정치를 고민하는 동료 시민에게 남기고 싶
은 말이 있다면요?

정치적 가능성에 대해서 포기하지 말자! 이 말을 꼭 하고 싶어요. 녹색당이 직면한 정치 지형이 위태롭고 어려워 보이더라도 포기하지 않았으면 좋겠고요. 정치의 가능성이 열리는 공간이 꼭 녹색당이 아니어도 좋으니 자신이 속한 정당이 마음에 들지 않더라도, 정치의 가능성을 포기하지 않았으면 좋겠다는 말을 강조해서 남기고 싶어요.

마지막 기회를 놓치지 않기 위한 정치 세력화

"아마 대부분의 사람이 기후위기를 진짜 심각하게 인식했을 때는 이미 늦었을 가능성이 크죠. 진짜로 우리가 뭔가 제대로 논쟁하고 싸우고 준비하지 않으면 정말 마지막 기회도 놓칠 수 있다고 생각해요"

이현정

전 정의당 부대표
정의당 녹색정의위원회 위원장
기후정의동맹 집행위원

'기후위기 대응과 정의로운 녹색전환을 위한 기본법안'은 정의당 강은미 의원이 대표로 발의했다. '석탄발전사업의 철회 및 신규 허가 금지를 위한 특별조치법안'의 대표 발의자는 류호정 의원, '기후위기 특별위원회 입법권 부여의 건'의 대표 발의자는 장혜영 의원이다. 그린피스의 2022년 국회의 온실가스 감축 및 기후위기 적응 관련 법안의 대표 발의 건수 조사에 따르면, 의석당 발의 건수 1.17건으로 정의당이 가장 많았다. 6석의 의석을 가진 정의당은 원내 진보정당으로서 적극적으로 기후정치 법안 활동을 펼치고 있는 중이다.

스스로를 기후정치 운동가로 정체화하는 이현정 부대표는 진보 정당의 오랜 정치인이다. 진보신당 녹색분야 정책위원에서 노동당 녹색준비위원회를 거쳐 정의당의 생태에너지본부까지, 진보 정당이 걸어온 녹색 정치의 역사와 함께해 온 그를 여의도에서 만났다. 회의 때문에 늦을 수도 있다고 양해를 구했던 이현정 부대표는 약속 시간보다 일찍 도착했다. 아침부터 진행된 상무위원회를 끝내고 왔지만 열정적이었다. 시민 사회 운동과 정당의 당직자를 병행하기에 생기는 고충에 대해 토로하면서도, 멀어 보이는 세력 간의 연대를 이야기하고 활동을 이어가려는 절실한 마음이 느껴졌다. 현실적인 어려움을 묻는 말에 공감하면서도 흔들리지 않는 입장으로 답했다.

2023년 7월 17일 정의당 신당추진단이 발족했다. '기후·녹색 정치 세력'을 포함한 정치 세력과 합당 및 통합의 방식으로 신당을 추진하겠다고 밝혔다. 다가오는 22대 국회의원선거를 둘러싸고 각자의 입장에서 말들이 쏟아지고 있지만, 아직 기후정치의 목소리는 크게 들리지 않는다. 이현정 부대표가 언급한 '정말 마지막 기회'일 수도 있는 기후정치 세력의 연합이 가능할지 궁금하다.

정의당의 대중 교통과 에너지 정책

Q. 정의당의 주요 기후정책에는 어떤 것이 있나요?

지금 정의당은 '대중 교통 3만원 프리패스'에 공을 들이고 있어요. 단순히 대중 교통 요금을 낮추자는 의미라기보단 대중 교통의 중요성을 이야기하는 거예요. 자가용 중심의 시스템에 예산이 많이 쓰이잖아요. 그 시스템을 바꾸지 않고 사람들에게 대중 교통을 이용하자고 얘기하는 것은 의미가 없죠.

동시에 재원과 관련해서도 대안을 내놓고 있어요. 흔히 유류세라고 부르는 교통에너지환경세가 있어요. 경유나 휘발유를 리터당 1,700원에 넣으면 한 500원 정도는 세금이에요. 그 세금의 대부분은 교통시설특별회계로 쓰여요. 교통시설특별회계는 대부분이 도로를 건설하는 데 쓰이고요. 기름에 세금을 매겨서 더 많은 기름을 소비하고 환경을 파괴하는 데 쓰이는 것은 옳지 않죠. 그래서 교통시설특별회계를 대중교통 특별회계로 전면 전환해서 도로를 건설하는 데 쓰이는 비중은 확 줄이거나 최종적으로는 아예 없애자는 주장이에요. 수도권 이외의 지역에는 여전히 도로가 필요한 지역이 있지만, 예산이 많기 때문에 도로가 과잉으로 지어지는 경우도 많아요. 과잉 도로 건설에 돈을 쓸 게 아니라 철도 시설이나 버스 등 공공 교통에 돈을 투자하도록 전환하자는 게 정의당의 주된 메시지예요.

단순하게 대중 교통 비용을 절감하자고 하는 게 아니라 이걸 계기로 시민들이 대중 교통을 왜 안 타는지, 무엇이 불편한지,

소외 지역이 어디인지 답을 할 수 있어야 해요. 오세훈 서울시장이 대중 교통 적자 얘기를 하잖아요. 근본적으로 대중 교통이 적자가 나면 안 되는 걸까요. 적자가 나면 세금을 더 투입해서 제대로 운영하는 것이 오히려 바람직한 방향이 아닐까요.

Q. 대중 교통 3만원 프리패스는 구체적인 법안 발의를 목표로 하고 있나요?

심상정 의원이 법안 발의를 이미 했어요. 발의한 법안은 전면 전환까지는 아니고, 대중 교통 지원을 늘리는 내용이고요. 교통시설특별회계의 전면 전환은 고려해야 할 다른 법들이 많아서 준비하는 데 시간이 걸려요. 정의당의 대선 공약 중의 하나가 '반값 교통 요금'이었어요. 2021년 기준으로 월평균 대중 교통 이용 요금이 71,000원 정도니까 30,000원 정도를 대략 절반이라고 보고, 나머지 차액인 41,000원을 대중 교통을 이용하는 전 국민에게 보조해 준다면 1년에 한 4조 정도의 재원이면 되더라고요. 그 4조를 교통시설특별회계에서 지원하는 것을 단기 과제로 삼고, 중장기로는 아예 공공교통특별회계로의 전환을 제안하고 있어요.

Q. 정의당이 추진하는 에너지 정책의 방향과 내용이 궁금합니다.

요금 현실화보다 필수적인 에너지 소비는 보전해주고, 대신

누진세를 더 강화해서 필수적이지 않은 요소나 사치성 소비는 줄이도록 유도해야 한다고 생각해요. 이번 '414 기후정의파업' 때 논란이 됐던 게 시민들의 필수적인 전기, 가스 요금 인상 철회가 의제로 들어가면서 일부 환경 단체가 참여하지 않기로 결정했는데요. 저는 필수적인 전기, 가스 요금 인상 철회에 동의해요. 인간에게 얼마만큼의 전기가 필수적으로 필요한지 논의도 필요해요. 사람들이 전기 요금 때문에 난방도 안 되는 집에서 전기장판도 마음대로 못 틀다가 얼어 죽는 것은 사회적으로 막아야 하고, 필수적인 전기는 무상에 가깝게 제공하는 것이 맞는 거죠.

저는 건조기 광고를 보면 화가 나요. 전기를 많이 사용하는 건조기가 없으면 불행한 듯한 사회적 분위기를 만들었어요. 필수적이지 않은 소비에 대해서 돈만 내면 펑펑 써도 상관없다는 이 인식을 바꾸는 게 중요하다고 생각해요. 산업 현장에선 에너지 효율이 높은 기기나 장비로 교체하는 것보다 전기 요금을 더 내는 게 싸다고 판단하잖아요. 이런 부분을 개선하려면 산업용 전기 요금을 인상할 필요도 있겠죠. 에너지 효율을 더 높일 수 있는 방향으로 정책을 만들어야 해요. 대공장 지붕에 태양광 패널을 설치해서 자체적으로 소비를 줄이고 비용도 절감할 수 있는 방향으로 전환하려면 지금과는 다른 요금 체계가 필요하다고 생각하고, 지금 당 정책위에서 그런 과제를 진행하고 있어요. 아마 한두 달 이내에 정리가 될 것 같은데요. 완벽하지는 않더라도 방향은 정해질 거예요.

정의당이 녹색을 제대로 끌어 안기 위해서

Q. 부대표 이전에도 당내에서 기후정치 활동을 활발하게 하셨는데, 부대표가 된 이후 발언에 힘이 실린다는 느낌을 받으시나요?

그렇죠. 그 이유로 출마했죠. 저는 녹색이 부문 운동 취급당하는 것에 대한 문제의식이 많아요. 부문을 넘어서야 한다고 생각해요. 과거 진보신당 녹색정치특별위원회에 상근직 간사가 있었는데, 다른 부문위원회와 형평성에 맞지 않는다는 이유로 갑자기 없어진 사례가 있었어요. 제가 2018년도에 생태에너지 본부장을 했는데, 그때 6개 본부 중 4개는 국회의원이 본부장이었어요. 나머지 2개 본부장만 현직 의원이 아니었어요. 하나는 노동본부였고, 다른 하나가 제가 맡았던 생태에너지본부였죠. 국회의원은 본부장을 하면서 상임위와 관련된 활동을 하니까, 당의 지원 없이 의원실이 본부 역할을 했어요. 힘들다는 호소 끝에 생태에너지본부 전담자가 생겼어요. 그런 일들을 겪으면서 부대표 출마를 해야겠다고 결심했고, 2019년에 본부장 임기 끝나고 출마했다가 한 번 떨어졌어요. 그러고 나서 총선 이후에 부대표로 출마해서 당선된 거죠.

Q. 노동이나 여성주의 의제 관련해서 정의당에 다양한 의견이 존재하는 것으로 알고 있습니다. 아직 갈등이 해결되지 않았다는 느낌인데, 녹색이나 기후라는 의제도 적극적으로 받아들이

기 어려운 당원들이 있을 것 같아요. 기후정치를 정의당의 주류 의제로 가져가기 위한 전략이나 비전이 궁금합니다.

한마디로 이야기하기 어렵네요. 고민이 많은 문제예요. 당의 진로나 지향과 관련있는데요. 당내 노선 투쟁과 관련한 논쟁을 크게 보면 두 가지예요. 당이 더 선명하게 더 진보적이어야 한다는 입장과 더 대중적이어야 한다는 논쟁이 하나 있고, 녹색과 관련된 고민 하나가 있어요. 당내에 진보라는 그릇으로 녹색을 제대로 담을 수 없다고 얘기하는 분들이 있어요. 제가 보기에는 그분들이 생각하는 녹색은 급진적인 녹색정치가 아니라 생활 운동 같은, 표가 되는 녹색인 것 같아요. 저는 반대로 생각해요. 급진화된 기후 운동, 체제전환 운동과 만나야죠. 노선이 아예 다른 거죠.

지난 지방 선거와 비슷한 시기에 대선이 있었잖아요. 그때 8조를 투자해서 전남을 재생 에너지 특화단지로 만들겠다는 정의당 대선 공약이 있었어요. 근데 전남에서는 재생 에너지에 반대하는 분들이 많거든요. 전남의 전력 자립도는 170%가 넘는데, 거기에 재생 에너지 설비를 만든다는 공약이었어요. 그쯤에 발표했던 정의당의 그린뉴딜위원회 슬로건 중의 하나가 전기차 1천만 대 시대였어요. 전기차를 1천만 대로 늘리는 게 중요한 게 아니잖아요.

저는 정의당이 더불어민주당과 차별성이 없고 충분히 진보적이지 않아서 녹색을 끌어안지 못했다고 생각해요. 명확하게 정의당이 더 진보적이어야 된다고 봐요. 노동을 강화하자는 것도 기존의 환경 운동 진영만이 아니라 노동과 만나는 녹색, 적색과 만나는 녹색이어야 한다는 의미에서 중요한 거죠. 녹색과 적색 사이에 존재하는 갈등이 있는데 그 갈등이 전환을 멀어지게 만들 수도 있어요. 진보 정당은 그 갈등을 조절하고 일치시키고 서로 이해할 수 있게 만들어야죠. '기후위기로 망한 세상에는 일자리도 없다'는 구호가 있잖아요. 노동자 역시도 기후위기의 당사자라는 것을 주도적으로 이야기하는 게 정의당의 중요한 역할이라고 생각해요.

Q. 당내 노선과 관련한 논쟁 두 가지를 말씀하셨는데요. 녹색과 관련된 두 번째 고민도 듣고 싶습니다.

코로나19 때 시민들이 강한 정부를 원했던 것처럼, 머지않아 사회 전체의 위기 관리와 사회 갈등을 직접 조정하는 정부를 요구하게 될 거라고 봐요. 4인 이상 집합 금지같이 자유와 상반되는 조치를 원한 건, 긴급한 비상사태였기 때문이잖아요. 코로나19가 아니었으면 1인당 30만 원씩 재난지원금 주는 걸 보수 정당이 가만히 보고만 있었을까요. 난리가 났겠죠. 근데 심각한 재난 사태이기 때문에 가능했던 거죠. 굳이 사회주의라는 말을 붙이지 않더라도 기후위기가 심각해지면 국가의 강력한 역할이 필요할 거예요.

이슈가 인기있나 눈치 보는 대중추수적인 방향이 아니라, 급진화되는 사회 운동의 변화를 먼저 파악하고 방향을 제시할 수 있어야 운동을 주도하는 정당이 될 수 있는데 지금까지 정의당은 그렇게 하지 못했다고 생각해요. 급진적인 기후 운동을 쫓아가기에 급급했던 거죠. 기후정의동맹에서 주장한 횡재세 문제에서도 당이 미온적으로 반응했어요. 당이 녹색을 끌어안으려면 더 앞서나가야 해요.

  Q. 원내 정당으로 정의당에 바라는 역할이 있을 텐데요. 말씀하신 것처럼 더 선명한 방향으로 가는 것을 다수의 시민이 원하지 않을 수도 있을 텐데, 이 간극 사이에서 고민이 많을 것 같습니다.

  그런 면이 있죠. 진보 정당이면서 원내 정당이기 때문에 사람들 눈치를 볼 수밖에 없고, 너무 급진적으로 가기에는 어려운 부분이 분명하게 있어요. 저는 정의당이 일관성이 없어서 위기라고 생각해요. 지금 여론 지형을 보면 더불어민주당이 싫어서 국민의힘을 선택하고, 국민의힘이 싫어서 더불어민주당을 선택하는 것을 반복하다가 정치 혐오가 커지고 지지하는 정당이 없는 상태가 역대 최대인 거잖아요. 그 사람들에게 정의당이 대안이 되지 못한 이유는 두 거대 정당에 의해서 위치가 설정되어서 라고 생각해요. 더불어민주당 지지자들은 우리에게 국민의힘 이중대라 하고, 국민의 힘 지지자들은 우리를 더불어민주당 이중대라고 하잖아요.
  결정적인 사건이 몇 개 있었죠. 특히 조국 사태 때, 진보 정당이면서 동시에 원내 정당이라는 어려운 포지션에서 제대로 대처를 못 했어요. 그런 상황에서 당이 오락가락했죠. 시민들은 강하고 확고한 신념을 가진 리더십을 바라지, 눈치 보면서 이랬다 저랬다 하는 사람을 원하지 않아요. 그래서 일관성 있게 우리가 나아가야 할 방향을 이야기할 필요가 있어요. 정의당이 다른 기득권 정치 세력과 다르다는 것을 보여줬다면, 지금처럼 위기가 심각해지지 않았을 거예요.

Q. 기후정치에 있어서 급진적일 수도 있는 의제를 뚝심 있게 밀고 나가야 한다는 이야기로 들리는데요. 정의당의 기후정치 가 두 거대 정당과 다른 관점은 무엇인가요?

정의당의 기후정치는 시장주의적 관점에서 더불어민주당과 차이가 있죠. 정의당은 대중 교통 3만원 프리패스 같은 공공성 을 이야기하죠. 저는 탄소세 법안에 반대하는 입장이에요. 이 문 제는 돈으로 해결할 수 있는 문제가 아니거든요. 오히려 탄소세 가 면죄부가 될 수 있어요. 국가가 직접적으로 탄소배출 기업을 규제해야죠. 그렇지 않으면 이 문제를 해결할 수 없어요.

저는 환경 단체들과도 일을 많이 했는데요. 대표적인 주류 환 경 단체들은 시장주의적인 해법을 주장해요. 환경단체 출신으 로 국회의원이 된 사람 역시 시장주의적인 에너지 전환 지원법 을 이야기하잖아요. 기존의 주류 환경 단체들이 탈정치적이고 반정치적이라고 이야기하는데, 신랄하게 평가하자면 정치적인 중립을 가장해서 사실은 더불어민주당 편이었던 거예요. 진보 정당 혹은 기후정치 세력이 함께 해야 할 대상은 시장주의적인 해법을 이야기하는 세력이 아니라 더 급진적인 운동이어야 해요. 그런 급진화된 기후 운동이 이제 생겨나고 있어요. 이번에 '414 기후정의파업'을 주도했던 기후정의동맹도 그렇죠. '414 기후정의파업' 조직위가 시민들의 필수적 전기 요금 인상 철회를 내걸게 된 것은 화석 연료를 더 많이 쓰자는 의미가 아니라, 기후위기가 불평등을 더 심화시켜서는 안 된다는 의미였던 거잖아요.

기후정의라는 이름은 기후위기만 극복하면 되는 게 아니라 기후위기를 극복하는 과정이 불평등을 심화시켜서는 안 되고 정의로워야 한다는 것까지 포함하는 거예요. 적색과 녹색이 만나 제대로 힘을 형성해서 기후위기를 극복하는 세력이 되어야 겠죠. 표현하는 방식은 다양할 수 있지만 현재 자본주의 시스템의 문제를 제대로 드러내고, 그 문제를 해결하기 위해서 어떻게 세상이 달라져야 하는지 얘기할 수 있는 세력이어야 한다고 생각해요. 근데 그 세력도 정치 혐오적이거나 탈정치화되어 있는 면이 있어서 요새 가장 큰 고민이에요.

급진적인 기후 운동의 탈정치화

Q. 기후 운동 내부의 탈정치화된 현상이 어떻게 작용하고 있다고 보시나요?

기존의 정당과 정치에 대해 비판적이면서 아무런 개입도 하지 않는 건 결국 지금의 굳건한 양당 체제를 돕는 것이나 다름 없어요. 현실적인 대안 없이, 그냥 싫다는 주장만 있으면 결국에 정치는 더 나빠질 거예요. 그래서 정치에 더 개입해야 한다고 설득하고 있어요.

2022년 '924 기후정의행진', 2023년 '414 기후정의파업'에 정치인의 발언은 하나도 없었어요. 의례적인 정치인들의 말 대신, 현장과 당사자의 이야기를 듣는 것은 충분히 의미가 있죠. 하지만 정당 활동 자체에 대한 부정적인 시선도 분명 존재했어요. '414 기후정의파업' 때 대오를 나눠서 조직별로 배치가 되었는데요. 정당 활동해 보신 분들은 알겠지만, 이런 집회 오면 당연히 당 깃발 아래로 모이잖아요. 그런데 진보 정당의 대오는 따로 명시하지 않기로 했다는 통보를 받았어요. 정의당에서 오는 사람들이 당 깃발 아래가 아닌, 지역 대오에 남아 있으면 안 되냐고 이야기하는 분도 계셨어요. 정당 활동하는 사람으로서 말이 안 되는 제안이죠. '정치'를 부정적으로만 봐서는 기후 문제를 해결할 수 없다고 생각해요.

기후 세력이 2024년 총선에서도 뒷짐 지는 상황이 돼버릴까 봐 걱정이에요. 그렇게 되면 기후정치가 제대로 자리 잡는 게 점점 더 어려워질 거라고 생각해요. 제가 정당에 속해 있어서 조심스럽지만, 기후정의동맹이 총선에서 어떤 방식으로든 기후정치가 제대로 자리 잡는 방향을 논의했으면 좋겠어요. 이를테면 미국의 스쿼드The squad[1], 선라이즈 무브먼트처럼 특정 정

---

1 스쿼드는 미국 연방의회 하원의원인 소말리아 난민 출신이자 첫 무슬림 여성 하원의원 일한 오마Ilhan Omar, 최연소 여성 하원의원이자 히스패닉계 미국인인 알렉산드리아 오카시오코르테스Alexandria Ocasio-Cortez, 매사추세츠주 첫 흑인 여성 하원의원 아이아나 프레슬리Ayanna Pressley, 팔레스타인 난민 2세 출신 러시다 털리브Rashida Tlaib 4명을 가리키는 별칭이다.

당을 배타적으로 지지하는 게 아닌 방식도 가능하지 않을까요.

Q. 급진적인 기후 운동 세력과 정당은 어떻게 만날 수 있을까요?

미국의 버니 샌더스Bernie Sanders가 사퇴하면서 조 바이든 Joe Biden과 단일화를 할 때, 급진적인 기후 정책을 제안했고 바이든이 많이 받아들였어요. 한편으로는 선라이즈 무브먼트나 미국 민주당 내의 DSA[2] 그룹이 청년 세대에게 긍정적으로 받아들여지고 있어요. 사회주의를 전면에 내건 후보를 뽑을 것이냐는 설문에 젊은 세대로 내려갈수록 긍정적인 대답이 훨씬 많아졌어요. 지금 발생하는 많은 문제가 자본주의 시스템의 문제라고 생각하느냐고 했을 때 그렇다는 대답이 많고요. 급진화가 기후정치에서는 나타나고 있어요. 그러면서 진보 정당과의 괴리는 커지는 거죠. 그래서 그 두 세력이 만나야 해요. 제가 속한 '전환'이라는 그룹은 민주적 생태사회주의를 전면에 내걸고 있어요. 민주적 사회주의라는 것이 외국에서는 당연히 생태사회주의를 포함하고 있는데, 한국에서는 사회주의와 노동만 이야기되고 있거든요.

한 가지 사례가 떠오르는데요. 정의당이 탈석탄 관련해서 법안 발의를 준비하고 있었어요. 비슷한 시기에 시민 사회도 5만 명 청원으로 탈석탄법을 준비하고 있었고요. 시민 사회에서는

---

2 Democratic Socialists of America 미국 민주사회주의자들. 미국의 민주사회주의를 표방하는 정치조직이다.

정의당의 법안이 충분하지 않다고 생각한 이유가 있었어요. 정의당이 준비하는 전기사업법 개정안은 지금 건설 중인 삼척 석탄화력발전소를 중단시키기가 어려웠거든요. 시민 사회가 발의를 요청한 탈석탄법은 통과되는 즉시 석탄화력발전소 건설을 중단해야 하는 법이에요. 그런데 이 법안을 정의당의 의원들이 받을 생각이 없는 거예요. 실무자조차 당에서 따로 준비하고 있는데 뭐가 다르냐고 이야기하더라고요. 그래서 제가 중간에서 정의당 내부를 설득하고 대표 발의할 의원실을 만나서 담판을 지었죠. 우리가 원래 준비하던 법이랑 서로 상충하는 게 아니라고 설득해서 조만간 그 법안을 발의할 예정이예요. (편집자 주 : 2023년 8월 17일 류호정 의원 대표발의로 발의되었다.)

이 과정에서 느낀 게 뭐냐면, 일단은 정의당이 너무 원내 중심으로 돌아가다 보니까 시민 사회의 제안을 민원 정도로 받아들인다는 거예요. 시민 사회와 진보 정당이 그만큼 긴밀하지 못했던 데에는 정당에도 책임이 있고, 시민 사회와 운동 진영에도 책임이 있어요. 운동과 정치가 터놓고 만나지 않으면 이런 문제는 계속 갈 수밖에 없어요. 시민 사회가 정치와 협업할 때, 의원실과 개별적으로 접촉하면서 정당이 아니라 의원 개인에게 힘을 실어주는 것도 문제라고 생각해요. 시민 단체 임원이 되면 당적을 갖지 못하는 조항이 있잖아요. 오히려 꺼내놓고 정당이 잘하는지 못하는지 비판해야죠. 공무원도 정치적 주장을 할 수 있어야 하는데, 시민 사회가 그렇게 탈정치적인 것은 문제라고 생각해요.

Q. 급진적인 기후 운동 세력 안에서 탈정치화된 분들에게 기후 정치가 중요하다고 설득할 수 있는 포인트가 있을까요?

일단 2024년 총선에 적극적으로 개입해야 해요. 그 방법이 무엇일지 같이 고민해 보자고 말하고 싶어요. 기후 운동이 정치화되는 데 총선을 놓치면 운동의 영역에 머무를 수밖에 없어요. 기후 운동에서 향후 5년이 정말로 중요한 시기잖아요. 원내 진보 정당은 사회 운동으로부터 서포트를 받지 않으면 소수이기 때문에 할 수 있는 게 거의 없어요. 그래서 사회 운동도 굉장히 중요하다고 생각해요. 여러 단위들이 국회 앞에서 텐트치고 열심히 운동을 했지만 결과적으로는 정치에 반영되지 않았잖아요. 그런 것들을 제대로 반영하기 위해서는 원내에서 힘을 내야죠. 의제를 민원성으로 받아서 대신 발의해 주는 게 아니라 정말로 일체화가 되지 않으면 안 된다고 생각해요.

원내는 원내대로 운동은 운동대로 가게 되면 어려워져요. 석탄화력발전소의 노동자들이 해고되고 생존이 위협받는 상황을 해결하기에 향후 5년이 너무 중요해요. 그래서 그 타이밍을 놓치면 안 된다고 생각하고요. 기후 운동이 임계점을 넘어서 더 커지느냐 아니냐에 있어서 중요한 시기가 지금인 거죠.

기후정치의 이름으로 모여야 한다

Q. 지금 여러 단위에서 진보 정치 연합을 이야기하는데, 기후

정치라는 이름으로 진보 정치 세력이 하나로 모일 수 있을까요?

저는 이게 모일 수 있을까의 문제라기보다 모이도록 만들어야 한다고 봐요. '전환' 그룹에서는 '협동하는 진보정치로 나아가야 한다'고 입장을 냈어요. 진보 정당들이 과거의 갈등 때문에 반목하는 것처럼 보이는데, 그것이 정치 혐오를 부추기고, 더불어민주당 이외의 선택지를 생각하지 못하게 하고 있어요. 민주노총이 따로 정당을 만들어서 그 아래로 모이는 것은 사실 불가능하다고 생각해요. 민주노총이 제안한 당위성은 충분히 이해되지만, 잘 안됐을 때 나쁜 결과가 너무 커요. 민주노총과 논의하고 있는 4개의 진보 정당이 협력할 수 있는 틀을 지금 만들어야 한다고 생각하고요. 당 대 당 통합이 아니더라도 진보 단일 후보 수준을 넘어서는 여러 기획이 필요해요. 기후정치의 이름으로는 오히려 4개 정당이 합의할 수 있는 지점을 찾을 수 있지 않을까요. 여러 첨예한 내용 중에 더불어민주당이 주장하는 시장주의적인 접근이 아닌, 더 급진적인 해법의 필요성에 합의하고 그 합의를 바탕으로 후보 전술을 편다든가, 이런 것들에 대해서 고민해 볼 수 있겠죠.

Q. 한국의 정당법, 선거법에는 제약이 많은데요. 새로운 정당을 만들거나 당 대 당 통합이 아닌 방식이 있을까요?

고민이죠. 100% 동의하는 건 아닌데 이런 주장도 있었어요. 새로운 정당을 만드는 게 아니라, 원내 정당인 정의당을 플랫폼으로 활용하는 안이에요. 정식으로 제안된 건 아니에요. 가령, 민주노총이 새로 만든 정당에 모이려면 지역에 출마하는 후보들이 탈당하고 그 당에 입당해야 하는데, 현실적으로 어려워요. 진보당이 원내 정당이 되기 전에 나온 이야기이지만, 전략적인 비례 전술을 같이 논의하고, 후보로 출마하는 사람들만 정의당에 입당해서 선거를 치르고 선거가 끝나면 그 사람들을 돌려보내는 거죠. 이것도 완벽하지는 않죠. 여러 가지 우려가 있고, 구체적인 내용들은 아직 논의된 건 아니에요. 단일 후보 전술로는 여전히 여러 정당이 난립하는 것처럼 보일 것이고, 그것을 넘어서는 무엇인가 있어야 할 텐데요. 지금까지 나온 아이디어는 이 정도인데 고민을 더 해야겠죠.

　정의당을 플랫폼 정당으로 활용하라는 이야기는 기득권을 내려놓겠다는 의미이기도 하거든요. 사실은 조금 늦은 감이 있죠. 정의당이 더 잘 나갈 때 했으면 모르겠는데 지금은 당이 위기니까. 지금 정의당이 그런 방식으로 손을 내미는 게 과연 다른 당에 그렇게 매력적일지 고민이에요. 진보 정당의 영역을 확장하려면 여러 정당이 경쟁만 하는 관계여서는 안 되고, 강한 협동이 필요해요. 작년 '924 기후정의행진' 끝나고 진보 정당에서 녹색정치를 고민하는 사람들끼리 테이블을 만들었어요. 이분들이 공통점도 있지만 각자 자기 당에 있는 이유가 명확하거든요. 각자 자기의 당에 있을 수밖에 없는 이유를 같이 모여서 나누다 보면, 진보 정당들이 협력할 수 있는 길도 찾을 수 있지 않을까요.

Q. 기후정치의 이름으로 연대가 필요하다는 주장에 공감하면

서도 현실적으로 가능할지 회의적인 분들을 주변에서 종종 봅니다. 이 분들께 어떤 이야기를 해주실 수 있을까요?

제 주변에 많은 애정을 가지고 일했던 분들조차도 지금은 당에 별로 기대를 걸지 않으세요. 심지어 정의당의 부대표인 저도 진보 정치가 너무 힘들고 되게 외롭거든요. 희망을 품어야겠다고 생각하다가도 다운되기도 하고, 기후 운동하는 사람들이 기후 우울증을 겪는 것처럼 오르락내리락하거든요. 그럼에도 불구하고 이렇게 하는 이유는 다른 방법이 없잖아요.

에너지 전환도 어려운데 에너지 전환을 정의롭게 하자는 건 얼마나 더 어려운 일이에요. 십중팔구는 안 될 텐데, 그렇다고 아무것도 안 할 수 없는 거죠. 유진 오덤Eugene Odum이 쓴 생태학책에 보면 이런 얘기가 나와요. '인류는 원래 상황이 나빠질 때까지 기다렸다가 상황이 나빠진 다음에 그 위기에 화를 내면서 대응함으로써 위기를 극복한다' 아마 대부분의 사람이 기후위기를 진짜 심각하게 인식했을 때는 이미 늦었을 가능성이 크죠. 근데 저는 그때 올바른 길로 가기 위해서는 먼저 준비하는 사람들이 필요하다고 생각해요. 준비하는 사람들이 많을수록 좋겠죠. 그게 제가 활동을 계속하는 이유예요. 사람들이 위기를 인식할 때 방향을 제시할 수 있어야 해요. 그때 준비된 게 없으면 정말로 늦어버린 거겠죠. '거봐 내가 뭐랬어'라는 도덕적인 우월감을 위해서가 아니라, 진짜로 마지막 기회도 놓칠 수 있어요. 준비하지 않으면 위기를 극복하더라도 소수의 사람만 살아남고 나머지 사람들은 희생당하는, 정의롭지 않은 방식으로 갈 수밖에 없기도 하고요.

라투르Bruno Latour가 '기후위기를 부정하는 것은 지금의 불평등을 유지하기 위한 수단일 뿐'이라고 이야기했어요. 이미 알고 있는데 기후위기를 인정해 버리는 순간, 이 불평등에 대해서 책임을 져야 하니까 기후위기를 부정함으로써 기득권을 유지하고 소수의 사람은 살아남을 수 있는 길을 가고 있다고요. 그런 엘리트에 대항하기 위한 세력을 우리가 만들어야 하고, 그렇게 하기 위해서 기후위기와 불평등을 같이 이야기하는 세력들이 모일 필요가 있어요. 모이는 데서 끝나는 게 아니라 정치 세력화되어야 하죠. 시간이 별로 없어요.

Q. 기존 운동 진영의 세력화와 더 많은 사람에게 기후위기를 자신의 문제로 받아들이게끔 설득하는 것의 간극이 정당 운동의 어려움이자 고민일 것 같은데요. 더 많은 사람들에게 기후위기를 말할 때 필요한 전략이 있을까요?

기후 운동에 대한 이해도에 따라 단계별로 이야기할 필요가 있는 것 같아요. 시스템의 문제를 인지하고, 은폐된 것을 드러내고 다시 정의 내리는 게 필요한 거죠. 석탄화력발전소의 위험한 노동 없이는 우리가 전기를 쓰지 못하잖아요. 근데 그것을 분리해서 마치 그런 노동이 세상에 존재하지 않는 것처럼 보이죠. 누군가의 처참한 죽음이 아니면 드러나지 않잖아요. 지금의 육식 시스템에서 동물이 얼마나 학대당하는지, 그 동물을 키우는 노동자들이 얼마나 착취당하는지 모르고 싶어해요. 구조적으로 감추는 것들을 자꾸 드러내야 해요. 시스템의 문제를 드러내고 다시 정의하고 사람들에게 알리는 것들을 단계별로 밟아가야 한다고 생각해요. 석탄화력발전소 문제도 수도권 사람들한테는 내 문제가 아니잖아요. 육식이 가능한 축산 시스템의 문제도 내 문제가 아닌 거예요. 그런 문제를 해결하기 위해서는 이것이 나의 문제가 되도록 만들어야겠죠.

기후정의운동과
사회주의라는 대안

"인간과 생명을 가진 모든 이들의 삶의 권리를 보장하는
평등하고 생태적 사회를 만들기 위해선 정당 운동이 필요해요."

서린

노동당 기후정의위원회 위원장
기후정의동맹 집행위원

2013년 현재의 당명으로 개정한 노동당은 2015년과 2018년 연달아 집단 탈당 사태를 거치고, 2019년 9기 대표단이었던 신지혜, 용혜인 두 공동 대표의 사퇴 및 탈당으로 활동이 다소 주춤했다. 이후 2021년 사회변혁노동자당과 통합을 위한 준비위원회를 설치했고, 2022년 2월 두 당은 합당을 선언했다. 노동당은 20대 대통령 선거에서 이백윤 후보를 출마시켰고, 이어 8회 지방선거에서는 7명의 후보를 출마시켰다. 어려운 여건에서도 현장에서 평등, 생태, 평화의 가치를 지키며 꾸준한 활동을 이어오고 있다.

이런 노동당에 최근 당의 공식 의제 기구가 새로 만들어졌다. 2022년부터 꾸준하게 준비해 온 기후정의위원회이다. 40여 명의 회원으로 2023년 2월 출범한 노동당 기후정의위원회는 '기후위기 및 기후정의운동에 관한 노동현장당원 인식 조사'와 당이 집중하고 실천해야 할 기후정의의 구체적인 의제를 위한 기후정의위원회 워크숍을 1박 2일간 진행했다. 한국의 기후 운동진영이 빠르게 성장한 것처럼 노동당의 기후정치의 행보도 가파르게 이어졌다. 행보만큼 바빠 보이는 노동당 기후정의위원회 서린 위원장은 상임집행위원회를 마치고 인터뷰 장소에 등장했다.

큰 주목을 받지 못하는 소수 정당의 활동가들에게서는 가끔 지친 기색을 보게 된다. 적은 인원이 감당하기에는 너무 많은 활동과 활동량에 비례하지 않은 효능감 때문에 그렇다. 그런데 서린 위원장에게선 그런 기색을 보기 힘들었다. 다소 상기된 표정의 그는 유쾌했다. 당내 기구의 목표를 이야기하고 기후정치의 가능성을 이야기할 때는 물론이고, 당의 어려움이나 본인의 고민을 털어놓을 때도 밝았다. 당에서 가장 최근에 만들어진 기구로 활발한 활동을 보이는 기후정의위원회의 움직임에는 긍정적인 위원장의 영향이 크지 않았을까. 진솔했던 그의 인터뷰를 소개한다.

기후정치의 중요성을 설득하는 과정

Q. 최근에 노동당에서 기후정의위원회 워크숍을 진행했어요.
어떤 자리였나요?

2021년 사회변혁노동자당과 노동당이 통합하는 과정을 거쳤
는데요. 기존의 사회변혁노동자당에는 기후팀 활동이 있었어
요. 기후팀은 월별로 '정의로운 에너지 전환으로 가는 길'이라는
키워드로 당의 에너지 전환에 관련된 정책, 로드맵을 제시하는
토론회 등을 진행해 왔어요. 이전까지 노동당에서 기후정의 활
동이 뚜렷하진 않았거든요. 그래서 그런 흐름을 만들기 위해 노
력했어요. 작년 '924 기후정의행진' 때, 전당적으로 기후정의운
동의 공통적 실천을 도모했고, 이후에 '414 기후정의파업'을 거
치면서 기후정의운동의 연대체로서 활동을 계속해 왔어요. 그
런데 연대만 하는 게 당의 역할은 아니잖아요. 구체적으로 정책
을 실현하거나, 가능한 대안을 제시해야 하죠. 그래서 이번 기후
정의위원회 워크숍은 노동당이 어디에 집중할지 토론하는 시간
으로 삼았어요. 기후 의제가 많잖아요. 에너지, 공공 교통, 플라
스틱 문제도 있고요. 현안이 많은데 노동당은 무엇에 파고들 것
인가에 관해 논의했고요.

저는 두 가지를 제안했는데요. 하나는 공공 중심의 재생 에너
지 확대 운동이에요. 전남에서 재생 에너지 공영화 조례가 통과
됐는데요. 농어촌을 파괴하는 태양광 기업이 밀고 들어오는데,
무자비한 태양광 발전이 좋은 게 아니잖아요. 태양광이 무분별

하게 늘어난다고 기후위기가 해결된다고 생각하지 않아요. 기존 에너지 체제를 유지하는 한, 아무리 전기차가 늘고 재생 에너지로 전환되어도 한계가 있다고 생각해요. 재생 에너지로 전환했을 때 기업 중심, 이윤 중심이 아닌 공공 주도의 전환이 필요하죠. 필요한 만큼의 에너지를 소비할 수 있는 에너지 체계를 만들어야 하고요. 그런 조례를 통과시키고, 지금의 에너지 체계를 대안 에너지 체계로, 공공 주도의 에너지 체계로 만들어 보자는 내용이었어요. 두 번째는 공공교통인데요. 자가용 중심 체계를 버스와 철도 중심의 교통 체계로 전환하자는 맥락에서 논의가 진행되었어요. 구체적으로는 마을 버스 노선 확대 운동 및 대중교통 인프라 확충 등이 언급되었는데요. 현재는 방향을 구체화하는 단계예요.

Q. 기후정의위원회 위원장으로 활동하고 계십니다. 2023년 당내 공식 기구로 출범했던데 어떤 배경 속에서 만들어졌나요?

기후정의운동과 관련해 노동당 내에 어느 정도 기반이 필요하다고 생각해왔어요. 당내 동의를 만들고 사업을 하면서 차곡차곡 쌓아가고 싶었어요. '924 기후정의행진'에 조직위원회로 참여하면서 정당 연설회나 교육 같은 관련 사업을 하고, 사람을 모으고 설득하는 과정이 있었죠. 그런 기반을 바탕으로 위원회가 만들어졌어요. 활동한 만큼 피드백도 있었고요. 어느 정도 기후정의운동에 관한 인식이 있고 대응해야 한다는 공감대가 있는 상황에서 사업을 진행했기 때문에 결합도나 관심도가 높았다고 생각해요.

Q. 기후정의운동과 관련해 당원 대상으로 설문조사를 진행하
셨더라고요. 설문 결과가 궁금합니다.

응답자가 많지는 않았지만 깊이 있는 내용이었어요. 굉장히
구체적으로 답해준 교육 노동자 당원이 있었는데요. 교내 태양
광 패널 설치 같은 현장에서 필요한 의제를 자세하게 답해주셨
어요. 기후정의가 담론으로만 존재하는 게 아니라, 자기 현장에
서 어떻게 운동으로 가져갈 것인지가 중요하거든요. 교육 노동
자가 학내 태양광 발전 의무 설치를 요구하거나, 생태교육 교안
확대를 이야기할 수 있겠죠. 건설, 금속, 통신, 자동차 등 각 영역
에서 이런 자기 과제가 필요해요. 노동조합 차원에서 이런 교육
이 더 활발해졌으면 해요.

Q. '924 기후정의행진'을 전후로 당에서 만든 소책자에 '아직 당
원들 사이에 기후정의운동에 대한 인식이 미비하다', '아직 초보
적 수준이다' 등의 솔직한 표현이 인상적이었습니다. 기후정의
운동이 중요하다는 공감대는 있지만, 내 삶의 구체적인 운동으
로 삼는 것을 낯설어하는 당원 분들에게 기후정치의 중요성을
설득하는 과정에서 어려움은 없었나요?

오랫동안 노동 운동을 해오셨거나 노동자 당원이 많다 보니
아직 기후정치를 낯설게 느끼시기는 해요. 노동이라는 게 지금

까지 지구를 파괴해 온 이미지가 있잖아요. 자동차 생산이나 건설 부문에서 온실가스 배출이 많은 것은 사실이니까요. 노동자 개인이 모든 걸 책임질 필요는 없지만 현장에선 딜레마적 상황이 있는 거죠. 한편으로는 노동 운동에 대한 정권의 탄압이 너무 심하다보니 기본적인 노동권을 지키기 위한 투쟁에 집중할 수밖에 없기도 해요. 그러다 보니 현장의 정의로운 전환까지 요구를 확대하기 어려운 현실적 한계도 있어요. 민주노총에서 녹색단체협약 운동을 하고 있는데, 충분히 확대되진 못했고요. 담론의 차원에서는 이야기가 되고 있지만, 실제 현장까지는 어려운 부분도 있어요. 아직 기후나 생태 문제를 우선적으로 생각하지 않는 분들도 있지만, 자신의 현장에서 어떻게 정의로운 전환을 풀어갈 수 있을지 고민하는 당원들이 늘고 있어요.

기후정의운동과 사회주의라는 대안

Q. 소책자에 '기후정의 대중 운동의 건설과 확대가 노동당의 대중적 강화와 안정화에 필수적인 존재 조건이다'라는 표현이 등장하는데요. 당원 분들의 반응은 어떤가요?

이런 표현에 당원 분들이 대부분 동의하고 있어요. 대중화를 위해서 당연히 기후정의운동이 필요하다는 공감대가 있고요. 자본주의 체제를 전환하지 않고는 기후위기를 해결할 수 없잖아요. 그 맥락에서 사회주의 체제를 이야기할 수 있다고 생각해

요. 하지만 자본주의 체제전환이 곧 사회주의를 말하는 건 아니
거든요. 그래서 더 적극적으로 사회주의가 대안이라고 설득하
고 주도적인 역할을 도맡는 것이 노동당의 과제라고 생각해요.

Q. 기후정의운동 안에서 사회주의가 대안이라고 설득하기 위
해서는 어떤 활동이 필요할까요?

노동당이 더 잘하는 모습을 보여줘야겠죠. 단순히 구호로서
사회주의를 이야기하는 게 아니라, 운동으로 실현하고 가능성
을 제시해야 한다고 생각해요. 구체적으로 대안을 꼼꼼히 제시
하는 게 필요해요. 예를 들어 이윤 중심의 에너지 체제를 공공
주도의 재생 에너지로 전환하려면 많은 것이 필요하잖아요. 그
런 구체적인 내용을 채워가는 게 노동당의 역할인 거죠. 사회주
의 정당이라고 해서 특별한 걸 해야 한다고 생각하지는 않아요.
기존의 운동 흐름 속에서 노동당의 대안을 끊임없이 제시하면
서 대안으로서 사회주의를 알리고 일상에 스며들면서 이야기해
야 한다고 봐요.

평등하고 생태적 사회를 만들기 위한 정당 운동

Q. 노동당이 기후정의운동 안에서 정당으로써 어떤 역할을 담
당해야 할까요?

정당의 역할은 시기마다 다를 수 있는데요. 지금 필요한 정당의 역할은 지역과 현장을 조직하는 것이라고 생각해요. 정당은 전국에 지역 조직이 있는 게 큰 강점이죠. 지역에서 무차별적으로 일어나는 생태 파괴, 기후부정의 현안들이 정말 많아요. 수많은 현장에서 목소리를 내면서 기후정치를 만드는 역할을 정당이 적극적으로 맡아야겠죠. 해외의 사회주의 운동 사례를 보면 지역에서 다양한 풀뿌리 운동을 만들어 내고 있어요. 지역 주민, 원주민 투쟁을 조직해 기후정의운동을 하고 있죠. 노동당이 그런 역할을 할 필요가 있다고 생각해요. 그리고 노동 현장에서 일상적인 기후정치를 어떻게 만들어 갈지 노동자들과 함께 고민하는 것도 정당의 중요한 역할이겠죠.

Q. 정당이 지역에 풀뿌리 조직을 만들고 주체를 세우는 게 중요하다는 것을 부정할 사람은 없을 것 같습니다. 현재 정당 운동 안에서 잘 형성되지 않는 이유가 뭘까요?

복합적인 문제가 있다고 봐요. 이전에 비해 지역 현장이 많이 줄어들기도 했고, 현장에서 주체적인 활동이 지속적이지 않은 이유도 있는 것 같아요. 중앙집중적인 정당 조직의 구조적인 문제도 있겠죠. 그리고 구체적으로 지역 정치에 대한 전략과 전술이 부족한 것도 있어요. 이건 정당의 역량 부족이라고 할 수 있어요. 그래도 지역 시도당에서는 지역의 정치 운동을 만들어 가기 위한 고민과 실천들을 이어가고 있다고 봐요.

Q. 노동당에서 풀뿌리 지역 조직화를 위해 어떤 활동이 더 필요하다고 보시나요?

시도당 차원의 의제 사업을 발굴하는 것이 우선적으로 필요해요. 그리고 지역과 밀접한 이슈와 현안을 발굴해 구체적인 정치기획을 사업화해야 한다고 생각해요. 지금보다 밀접하게 지역사회 문제를 모니터링하고 주체를 세우는 것도 필요하고요. 더 많은 역량을 지역에 집중시키기 위해 중앙과 지역 차원의 고민이 있어야겠죠.

Q. 노동당이 기후정치 세력 안에서 중요한 역할을 하기 위해 중장기적인 계획이 필요하다면 어떤 게 있을까요?

의제를 선정해서 4~5년 이상 쭉 이어가야 한다고 생각해요. 1~2개월의 단발적인 활동이 아니라 집중력을 가지고 이어가는 거죠. 최근에 정의당이 대중 교통 3만원 프리패스 운동을 하는데, 노동당도 그렇게 의제를 정해서 주민 서명도 받고 여론을 만들고 조례 통과까지 가보고, 목표를 정해서 사람들에게 호응을 얻었으면 좋겠어요. 기후정의가 무엇인지 사람들에게 보여줘야 해요. 손에 잡히고 눈에 보이는 게 필요한 것 같아요.

Q. 기후정치가 확장성을 가지고 나아가기 위해서는 무엇이 필요할까요?

기후위기 문제를 많은 시민들이 공감하고 중요하다고 생각하고 있어요. 노동 운동, 여성 운동, 평화 운동 등 다양한 영역이 기후정의운동에 함께하면서 더 넓어지고 커지고 있고요. 만족스러운 결과는 아니었지만, 지난 대선과 지방 선거에서 기후정치를 만들려는 다양한 시도가 있었잖아요. 자본주의 체제전환을 말하고, 자본과 이윤이 아닌 당사자 중심의 기후정치가 만들어지려면 지금보다 더 공세적인 정치적 대응을 운동 차원에서 고민해야 해요. 이전과 같은 정책 제안이나 매니페스토Manifesto 운동을 넘어서야 하는 거죠. 기후 운동 안에서 정치 세력화를 위한 공동의 고민이 시작되어야 해요. 견고한 기존 정치의 벽을 넘어서 기후정치를 실현하려면 더 큰 힘과 세력이 필요하니까요. 그래서 진보 정당과 기후 운동이 함께 공동의 목표를 가지고 다가오는 선거에 대응했으면 해요. 가령, 기후정의 정치인을 등장시켜서 '기후정의공동선거본부'를 꾸리고 기후 운동과 진보 정당이 함께하는 방식을 시도할 수도 있겠죠.

Q. 어려운 상황에서도 정당 안에서 활동하는 이유가 있다면 무엇인가요?

자본주의가 문제고, 더 이상 못 살겠다고 외치는 사람들이 있어요. 이 체제를 바꿔야 한다고 생각하지만, 한계에 부딪혀 포기하고 현실을 받아들이며 살아가는 사람들도 있고요. 정당은 그런 분들에게 다른 세상이 가능하다는 희망과 새로운 세계의 상을 제시해야 해요. 우리가 세상을 바꾸는 주체가 될 수 있고, 그럴 때 불평등을 끊어내고 세상이 바뀔 수 있다는 동기를 주는 것이 사회주의 대안 정당의 역할이라고 생각하고요. 기후위기 문제도 마찬가지예요. 기후위기의 심각성에 불안을 느끼거나 바뀌지 않는 현실을 보면서 지친 사람들에게 정당 운동을 통해 새로운 세상이 가능하다고 이야기하고 싶어요.

케케묵은 기득권에서도 솟아난 의제, 기후정치

"모든게 터져나오는 게 좋다고 봐요.
정당이 그런 것들을 엮어주는 역할을 할 수 있다고 생각하고요"

손솔

진보당 대변인
기후위기대응특별위원회 위원

2017년 민중연합당과 새민중정당은 합당하여 민중당으로 창당했다. 이후 민중당은 2020년 진보당으로 당명을 바꾸었다. 2022년 제8회 지방 선거에서 울산 동구청장을 비롯해 광역의원 3명과 기초의원 17명을 당선시킨 진보당의 선거 전략에 대한 긍정적인 평가가 잇따랐다. 이후 2023년 상반기 전주 을 재보궐선거에서 강성희 후보가 당선되면서 원내 정당이 되었다. 많은 이들이 진보당의 약진을 이야기한다.

진보당의 전신인 민중연합당의 공동대표였던 손솔 대변인을 만났다. 그는 2020년 21대 국회의원 선거와 2022년 8회 지방 선거에 출마했다. 대표 직을 맡고 두 번의 출마를 경험한 덕분인지 무척 여유롭게 질문에 응했다. 그의 정제된 대답에선 진보당에 대한 강한 믿음이 담겨 있었다. 농담으로 라도 아쉬움을 전하지 않는 태도가 인상적이었다.

2022년 대통령 선거에서 진보당 김재연 후보의 선거본부 구성원이었던 손솔 대변인은 소수의 인원으로 내실 있는 정책을 만들었다. 덕분에 청소년기후행동이 '기후정치 비전 검증고사'라는 이름으로 진행한 정책 평가에서 진보당은 가장 높은 점수를 받았다. 그는 2021년 서울시장 보궐선거에서 진보당 송명숙 후보의 기후정책을 맡아 기후정의의 관점에서 진보당의 정책을 꿰는 작업을 짧은 기간에 압축적으로 진행하기도 했다. 기후정치와 평화, 신공항과 철도를 잇는 이야기 또한 진보당의 특색이 드러나는 기후 정책이다. 효율적으로 기후정치를 펼쳐온 진보당 손솔 대변인의 인터뷰를 소개한다.

TF에서 위원회까지, 빠른 내실화

Q. 최근 진보당의 기후위기와 관련한 주요 활동은 어떤 것이 있나?

전기 요금, 가스 요금 인상 이슈 대응을 중점적으로 하고 있어요. 에너지를 어쩔 수 없이 필수적으로 사용하시는 분들이 있는데, 부담은 서민들에게만 전가되고 있거든요. 그래서 요금 정상화만 이야기할 게 아니라, 필수 에너지는 무상으로 공급할 수 있게 해보자는 내용의 토론회를 열었어요. 관련해서 최종적으로 법률안을 만드는 활동을 하고 있고요. 작년부터 가스요금이 30~40%가량 오른 상태예요. 주변에서도 가스 요금을 줄이려고 노력하는 분들이 많거든요. 그런데 가스 사용을 줄일 수 있는 사람이 있고 줄일 수 없는 사람이 있잖아요. 이런 고려 없이 일방적으로 인상을 하는 건 기후정의에 맞지 않다고 생각해요.

Q. 진보당에 기후위기에 대응하는 단위가 별도로 존재하나요?

기후위기대응 특별위원회가 있어요. 저는 초기부터 위원으로 활동하고 있고요. 당에서 인권위원회, 청년민중당 활동도 하고 후보로 나가기도 하고 여러 역할을 맡다 보니까 기후위기대응 특별위원회에서는 서포트하는 역할을 해야겠다고 생각했어요. 특별위원회는 대표단이 결정하고, 상설위원회는 중앙위원회에서 결정해요. 특별위원회는 조금 더 기동성이 있고, 상설위원회는 상시적으로 필요한 기구, 예를 들어 인권위원회 같은 곳이 있고요. 저는 기후위기대응 특별위원회도 상설위원회로 전환해야 한다고 생각하는데요, 그래서 상설위원회가 되기 위해 인력과 재정을 당에 요구하고 있어요.

Q. 기후위기대응 특별위원회가 만들어지는 과정에서 어떤 역할을 맡으셨나요?

기후위기대응 특별위원회가 갑자기 만들어진 것은 아니고, 선거 대응을 하면서 시작됐어요. 서울시장 보궐선거가 2021년이었고 대통령 선거와 지방 선거가 2022년이었잖아요. 그전까지 진보당은 기후라는 관점으로 정책을 이야기한 경험이 없는 거예요. 그래서 서울시장 보궐선거 정책 TF 활동을 하면서 연구보고서를 만들었어요. 선거에 대응하는 과정에서 시작했지만, 당의 기본 전략이나 비전을 담고 싶었어요. 이후 대통령 선거와 지방 선거 때도 선거 대응 차원에서 공약을 만들었죠. 공약을 번지르르하게 만들 수는 있지만, 사람들이 보는 건 그 활동을 진정성 있게 해온 정치집단인지를 보고 판단하는 거잖아요. 진보당의 상시적인 활동을 만드는 게 필요하겠다는 판단 속에서 전국적인 활동을 만들기 위해 노력했어요. 활동을 하시는 분들은 더 있긴 한데, 기후위기대응과 관련한 정책을 만들고 끌고 가는 사람은 현재로서는 저 포함 세 명이예요.

Q. 기후정치라는 표현에 익숙하지 않은 당원들을 설득하는 과

정에서 어려움은 없으셨나요?

아직 정치와 경제가 따로 있고 기후는 별개라고 생각하시는 분들도 있어요. 진보당이 말하는 기후정치는 경제 시스템을 바꾸고, 산업 전환을 하자는 이야기라는 설명을 해드려요. 그런 점에서 에너지 쪽으로만 이야기되는 것도 아쉬운 점도 있어요. 난방 요금이나 전기 요금이 워낙 예민한 이슈인 건 맞는데, 몇십 년 동안 유지해왔던 제조업에서 새로운 산업 구조로의 전환을 이야기하는 것도 중요하다고 생각해요.

지역에는 청소년, 환경 단체 등과 교류하면서 기후위기에 대응해야 한다는 생각에 공감하는 당원분들도 많이 있어요. 관련해서 공부도 하고 책 모임도 하시는데 전문적인 단체가 따로 있다보니 적극적으로 이야기를 안 하시고 쑥스러워하시더라고요. 그래서 더 당당하게 자주 활동하라고 말씀드려요. 그러면 기후위기대응 특별위원회에 교육을 요청하시기도 해요. 진보당이 가진 역량은 좀 있는 것 같아요. 전남의 사례도 그렇고 출마를 하셨던 분들을 비롯한 많은 당원이 지역 주민들과 정말 가까워요. 그런 분들이 전면적으로 기후 운동에 뛰어든다면 진보당이 할 수 있는 게 많다고 생각해요. 계속 설명하고 설득하고 있어요.

Q. 2022년 진보당 대통령 선거 후보의 기후 정책이 좋은 평가를 받았더라고요. 진보당의 '기후-에너지 정책 비전 보고서'도 공들인 흔적이 많았습니다. 이런 양질의 정책과 자료가 만들어

진 과정이 궁금합니다.

2021년 서울시장 보궐 선거는 선거 자체가 급박하게 진행됐어요. 당시 진보당 서울시장 후보의 슬로건이 '강남해체 평등서울'이었거든요. 서울이라는 도시가 기후위기에 큰 책임을 져야 한다고 생각했고, 지금의 질서를 완전히 뒤집는 얘기를 하고 싶었어요. 그래서 테헤란로를 2차선으로 만들자는 공약이 나왔어요. 그때 항의도 많이 받았어요. 저희가 테헤란로에서 자전거를 타는 기자회견을 했거든요. 차도를 줄이고 자전거를 다닐 수 있게 하자는 의미의 기자회견이었죠. 이후에 대통령 선거 공약을 만들려고 보니까, 대통령 선거 공약은 국가적 계획을 짜야 하는 거잖아요. 그런데 공약으로만 이야기하기에는 속이 빈 것 같다는 느낌이 들더라고요. 이 정책을 실제로 보여줄 수 있는 작업이 필요하다는 생각이 들었고, 정책을 만드는 것만 하면 안 되겠구나 싶었죠. 그래서 TF를 만들자, 특별위원회를 만들자, 이렇게 진행이 되었어요.

현장의 중요성, 전남의 재생 에너지와 발전 노동자

Q. 잘 만든 정책을 그대로 두면 아깝잖아요. 이후에 어떻게 활동을 만들어 갈지 고민은 없었나요?

전남에서 재생 에너지 공용화 조례를 만들어서 대응하고 계시거든요. 재생 에너지 공영화 조례를 보면, 주민들이 위원회에 들어가 있어요. 심의하고 보고하는 과정에 참여하는 거죠. 그전까지는 동네를 개발하는 문제에 배제되어 있었거든요. 회사들이 마구잡이로 개발하고 경쟁하는 방식이 아닌 공영화되는 방식으로 가야 한다는 게 조례의 골자이기도 하고요. 가장 훌륭한 모델이라고 생각하고 있어요. 재생 에너지로 전환해야 한다고 하니까, 모든 기업이 전남에 비어 있는 땅을 사서 개발하고 풍력 발전을 통해 에너지를 만들어서 서울로 보내겠다는 계획을 세우기 시작했어요. 기업 중심의 마구잡이 개발도 문제고, 전남 같은 지역에서 에너지를 생산하고 도심 지역에 보내겠다는 생각도 문제예요. 관련해서 싸움을 이어오시던 진보당 후보가 도의원으로 당선이 되셨어요. 전남에 필요한 에너지를 재생 에너지로 전환해서 어느 정도의 양으로 만들지를 전남이 정해야 하는데, 수도권으로 에너지를 보내기 위해 마구잡이로 개발하는 건 잘못된 거죠. 전남에서 만든 에너지를 서울에 돈 받고 팔면 도움이 되지 않겠냐고 이야기하는 사람도 있겠지만 지역에서 만든 에너지를 수도권에 팔면 수도권에 몰린 사람들이 에너지를 과소비하는 악순환이 계속 되겠죠.

강원은 석탄 산업을 어떻게 종료할 것인가, 울산 경남은 자동차 공장 노동자들을 어떻게 할 것인가, 이렇게 지역마다 이슈가 있고 지역에서 어떻게 이 문제를 돌파할 것인가를 중요하게 보고 있어요.

Q. 2021년에 진보당에서 만든 '기후-에너지 정책 비전 보고서'

에 보면 노동자 부문이 다른 영역에 비해 내용이 자세하고 풍성하던데요. 노동 현장에서의 기후정치에 대해서 간략하게 설명 부탁드립니다.

민주노총에서 산업 전환에 대한 법안을 만들고 있는데 거기에 진보당도 참여하고 있어요. 발전소 노동자들의 일자리가 없어질 게 분명하잖아요. 제조업 분야도 산업 자체가 바뀌어야 하는 상황에서 어떻게 대응할 것인가 논의들이 활발했었죠. 고용 승계나 전환에 대해서 노동조합이 교섭할 수 있어야 한다는 내용으로 논의가 많이 진행되었고, 법안도 있어요. 지난 대통령 선거 때 진보당 후보님이 울산 하청 비정규직 노동자 분들을 만나러 갔는데, 자동차 엔진 만드는 분들이었어요. 그 분들은 일자리가 없어질 거라는 통보를 받고 엄청나게 불안해하셨거든요. 내연 기관 차량이 없어지는 게 맞는 방향인 것 같기는 한데, 그럼 나는 어떻게 먹고 살아야 하나 이런 호소를 하셨어요.

그 분들이 직장을 잃은 다음에 경력을 인정받지 못하고 각자도생하는 건 말도 안 되잖아요. 제가 알기로 자동차 엔진 만드는 기술과 풍력 발전에 들어가는 기술이 비슷해서 연계가 가능하다고 해요. 그럼 경력이 있는 분들이 에너지 전환을 위한 노동을 할 수 있는 거죠. 이런 것들을 노동조합에서 먼저 이야기해 주지 않으면 경력을 인정받지 못한 채 정리해고 당하고 최저임금을 받는 하청 비정규직으로 가게 되거든요. 발전소도 그렇고, 자동차 관련 부품 하청업체도 그렇고, 대규모 실직 사태가 예고되는데 현장에서 많이 불안해하세요. 이런 상황에서 노동조합의 개입이 너무 절실한 거죠.

군축과 평화, 그리고 기후위기

Q. '군비 감축이 기후위기 대응이다'라는 칼럼에서 전쟁과 군축을 기후위기와 함께 이야기하신 게 인상적이었습니다. 어떤 고민 속에서 이런 칼럼을 쓰시게 된 건가요?

전 세계적으로 동의하는 온실가스 감축 협약에도 군사 부문은 다 빠져 있어요. 군사 부문을 빼고 탄소를 감축하겠다는 건 어처구니없다고 생각해요. 전쟁이 지속되는 상태가 기후위기에도 악영향을 계속 주고 있거든요. 그래서 전쟁을 멈추는 것이 필요하다는 이야기를 하고 싶었어요. 우리도 분단이라는 상태 때문에 미사일을 쏘고, 군사훈련을 하잖아요. 전쟁이라는 상황을 종료하지 않고서는 온실가스 감축이 실제로 불가능한 거죠. 한국의 국방 자료는 비공개가 많잖아요. 미국의 경우에는 일정 기간이 지나면 공개하게 되어 있다보니, 그 자료를 바탕으로 한국의 군사 부문 탄소 배출량을 추정할 수 있는데요. 그렇게 추정한 군사 부문 탄소 배출량이 엄청 많아요.

한국에서만 재생 에너지를 활용하는 건 불안정하다는 논의도 있더라고요. 적어도 한반도 수준의 지역적 규모가 되어야 재생에너지를 상시적으로 안정화할 수 있고, 아시아에서 에너지 교류라는 걸 새롭게 시도해 볼 수 있지 않을까 싶어요. 그러려면 적대하는 상황은 넘어야 에너지 교류가 가능하다고 생각하고요. 사실 유럽연합도 처음에 에너지 교류를 하려고 만들어진 건데 우리라고 왜 안 될까 싶은 거죠. 파주와 서해 근처에 풍력 발전소를 지으려다가 중단된 적이 있어요. 전쟁이라는 제약 때문에 막히는 전환의 기획들이 있어요. 이런 고민 속에서 군사 부문과 기후위기는 연결되어 있어요. 칼럼은 남북이 기후 재난에 어떻게 공동 대응할 수 있을지에서 고민을 시작해 전쟁 때문에 풍력 발전 같이 계획 상정조차 되지 않고, 전환의 속도가 늦어진다는 흐름의 내용이었습니다. 그리고 꼭 철도 이야기를 하고 싶었어요. 가덕도 신공항 문제도 그렇고 한국은 계속 공항이 문제잖아요. 공항 건설과 개발로 땅값을 올리는 계획이 계속 나오는 이유는 우리한테 철도라는 가능성이 더 이상 없어서 그런 것 같아요.

진보 정당과 기후정치

Q. 한국의 기후정치를 어떻게 진단할 수 있을까요?

한국의 기후정치는 시작하는 단계에 있다고 생각해요. 활동을 하다보면 다양한 토론회에 참여하게 되는데요. 대부분 주제가 70년 된 과제예요. 검찰 개혁, 선거제도 개혁 같은 논의가 70년 동안 이어진 거예요. 국회에는 70년 된 과제가 케케묵게 남아 있는데, 그중에 새로운 움직임이 있는 이슈가 성평등과 기후

밖에 없어요. 케케묵은 기득권에서도 솟아난 의제인 거죠. 기후
위기가 피할 수 없는 과제로서 계속해서 이야기되고 있고 이것
에 답하는 것이 정치인의 덕목이라고 여겨지는 것 자체가 긍정
적이라고 봐요. 그래서 너무 빨리 절망하지 않았으면 좋겠어요.
지금 사람들은 기후를 문제로 인식하고 있어요. 기후 문제가 심
각하고 무엇인가 바뀌어야 한다고 감각하고 있는 게 놀라운 상
태라고 봐요. 다만 이 의제를 어떤 정치적인 스토리로 풀어갈지
아직 갈피를 못 잡고 있는 거죠.

Q. 기후정치가 시작하는 단계에서 성숙해지기 위해서는 어떤
것이 필요할까요?

거대한 압박이 필요하다고 생각해요. 특정 정당이 어떤 걸 잘
해, 이런 걸 떠나서 기후를 중심으로 유권자가 판단하겠다는 거
대한 압박이 거세져야 해요. 초당적인 모임이 될 수도 있고, 다
양한 조직, 모임들이 많아지면 좋겠어요. 지금은 청소년, 청년,
노동이 전부 따로 가는 느낌이에요. 총망라된 압박이 필요해요.
힘이 분산되지 않았으면 좋겠어요. 교육 활동을 하다보면, 아직
내 생계와 관련된 일이라 생각하지 않는 분들도 만나게 되더라
고요. 그래서 기후위기를 전달하는 내용도 바뀔 필요가 있다고
봐요. 보편적인 교육보다는 듣는 사람의 상황에 맞는 설명하는
것이 필요해요. 예를 들어 울산의 노동자 분들한테는 여러분이
만드는 엔진이 이제 없어진다는데 어떤 고민이 필요할지 물어
보는 거죠. 이렇게 접근해야 기후위기가 나의 생계와 관련이 있

다고 생각하시는 것 같아요. 농민 분들은 자세하게 설명하지 않아도 찰떡같이 알아들으세요. 과거에는 언제 싹이 났는데 지금은 아니라고 오히려 먼저 말씀을 해주시거든요.

Q. 민주노총에서 추진하고 있는 진보 정당 연합에 대해서 정당마다 다양한 입장이 있을텐데요. 이 연합이 기후정치의 이름으로 모일 수 있다고 보시나요?

연합해야 한다고 생각해요. 기후위기로 바뀌는 가시적인 변화가 있잖아요. 발전소가 없어지고 재생 에너지도 쑥대밭을 만들고 있는 상황 속에서 진보 정당이 방향키를 잡아야 해요. 그냥 당하는 게 아니라 논의를 할 수 있는 당사자가 되어야 하는 거죠. 민주노총이 진보 정당들과 대화를 할 때 중요한 비전으로 기후정치가 당연하게 들어가야 하고, 거기에 동의 하지 않는 정당은 없을 것 같아요. 오히려 그런 비전없이 진보 정당을 모으겠다고 해서 삐걱거린다고 생각해요. 어떤 가치를 중심으로 모일 것인가에서 기후가 반드시 포함되어야죠.

민주노총이 이야기하는 틀이 아닌, 바깥에서 기후정치 연대를 말씀하시기도 하는데 가능할지는 모르겠어요. 산업 전환이 가장 큰 부문이잖아요. 기후에 큰 관심이 없는 분들도 설득해야 하는데, 그런 분들도 산업 전환은 피해 갈 수 없다고 생각하시거든요. 어떤 산업 전환이 되어야 하는가 설득력 있는 호소가 필요하고, 노조를 배제하는 방식으로는 어렵다고 생각해요. 따로 움직이다가 연합하는 방식이 될 수도 있겠죠.

한국은 법적으로 선거 연합이 어렵잖아요. 그 제약이 제일 크다고 생각해요. 선거 연합이 가능하면, 진보 정당들도 어떤 부분에서 함께 하고 전략적으로 함께 할 수 있는데, 그럴 수 없는 상황이니까요. 각자 고유한 정당으로 존재하는데 합당한다는 건 엄청난 명분이 필요하잖아요. 그게 아니면 민주노총과 함께 하는 방식으로 선택할 수밖에 없는 거죠. 선거 연합도 길이 열렸으면 좋겠어요. A부터 Z까지 다 합의가 되어야 가능한 딱딱한 방식의 정치가 아쉬워요. 선거할 때만 연합을 하고 유연하게 만났다가 헤어질 수도 있는 건데. 맨날 노동 유연화는 이야기하는데, 선거 유연화는 왜 안 하는지 모르겠어요.

Q. 기후위기에 대응하는 여러 가지 움직임이 있을 텐데요. 왜 정당 활동이 중요하다고 생각하시나요?

정치가 가장 폭넓게 논의를 전개할 수 있는 영역이라고 생각하거든요. 단체에는 모이고 싶은 사람이 모이고 내부의 밀집도도 높지만, 관심이 없는 사람들은 관여할 필요가 없어요. 그런데 정치라는 영역은 관심 있는 사람은 물론이고 관심 없는 사람한테도 말을 걸어야 하죠. 더 많은 사람이 함께 할 수 있는 방법을 제시하고 만나게 하는 통로가 정치라고 생각해요.

결국엔 모든 게 법과 제도로 어떻게 표현되느냐가 종착점이 될 수밖에 없기에 그것을 제대로 만드는 것이 필요하다고 봐요. 기후위기와 관련해서는 조금 잘못된 법을 만들고 개정하는 방식으로는 안 된다고 생각해요. 빠르고 과감한 방법이 필요해요.

역할과 권한을 가지고 과감하고 빠르게 설득해야 하는 게 중요한 거죠. 그러려면 정치가 필수적이겠고요. 보통 법들이 양쪽의 제안을 합의해서 하한선을 정해놓고 개정하고 다시 개정하는 방식이잖아요. 그런 방식으로는 직면하고 있는 기후위기라는 상황을 막는 게 어렵다고 봐요.

운동과 만나야 하는 기후정치

Q. 한국의 기후 운동이 탄소중립위원회를 둘러싸고 분화가 되었다고 보는 분들이 많은데요. 정당 운동의 관점에서 기후운동의 흐름을 어떻게 보고 있으신가요?

어려운 문제죠. 전기 요금 인상 관련해서도 입장이 다르잖아요. 기후위기를 어떤 방식으로 해결할 것인가에 대한 입장 차이가 있다고 생각해요. 그런데 우리끼리도 토론을 한 적이 없는데 이렇게 대립하는 방식으로 가서 아쉽긴 해요. 시각의 차이가 있을 수 있잖아요. 다른 입장이 존재해선 안 될 무엇인가로 취급되는 게 안타까워요. 이번에 '414 기후정의파업' 직전에 조직위원회에서 탈퇴하신 단체들이 있었는데, 탈퇴까지 해야 했을까 아쉽더라고요. 차이를 견디지 못하는 것, 토론하지 않는 것이 아쉬워요. 한 문제에 두 가지 해법이 있을 수 있다고 생각해요. 그래서 같이 만드는 게 필요한 것 같아요. 이번에 필수 에너지 토론회를 한 것도 그런 갈등에 대한 평가를 시민 사회 내에서 듣

고 싶었고, 어떻게 같이 할 수 있을지 방향을 제시하고 싶었거든
요. 탈퇴를 하신 분들이나 거기에 속한 단체들에서도 새롭게 토
론회를 여셨더라고요. 여러 토론회가 생기고 있는데, 서로 이런
이야기하는 자리가 많아졌으면 좋겠어요.

Q. 기후 운동에서 불복종 직접행동과 같은 운동 전략도 등장하
고 있습니다만, 정당의 활동과는 방법론에서 결이 다를 수 있다
고 생각합니다. 정당과 이런 형태의 운동은 어떻게 만날 수 있
을까요?

무엇이든 다 해도 된다고 생각해요. 직접행동하시는 분들이
정당 운동하는 사람들한테 다른 활동하지 말고 직접행동만 하
라고 강요하지 않으시잖아요. 각자의 역할이 있다고 생각하고
요. 모든 게 터져 나오는 게 좋다고 봐요. 정당이 그런 것들을 엮
어주는 역할을 할 수 있다고 생각하고요. 제가 지금 정당의 대
변인으로 소통관에 계속 서는데, 대표적인 정치 이슈 말고 국회
에서 다루지 않는 이슈를 꼭 하나씩 다루려고 하거든요. 노동조
합에서 어떤 집회를 했는지, 성소수자 단체에서 어떤 입장을 냈
는지 등의 내용이에요. 국회에서는 전혀 이야기되지 않지만, 직
접행동이나 다양한 형태로 터져 나오는 일들이 어떤 의미인지
국민들에게 설명해 드리는 거죠. 이런 게 정당의 역할이라고 생
각하고, 모두 다 각자의 영역에서 활발했으면 좋겠어요. 그러다
가 같이 해야 할 때 정당이 그 힘을 모으는 역할을 할 수 있다고
생각하고요.

Q. 기후 운동 안에서 진보 정당이 대화의 주체로 등장하지 못한 다는 느낌을 받는데요. 어떻게 느끼고 있으신가요?

인터뷰 참여자들 중심으로 한 번 다 모아주세요. 같이 모여서 얘기했으면 좋겠어요. 2024년 총선에 어떻게 하실지 터놓고 대화하고 싶네요. 그런 모임을 정당에서 먼저 제안하기 어렵거든요. 그런데 그런 모임이 생기면 당에서는 안 갈 수 없어요. 조급한 마음이 계속 들어. 2~3년 안에 기후정치를 고민하는 사람들이 정치적 권한을 가져야 하는데 가능할지 고민이에요.

나가는 글

긴 작업이었다. 일찍이 인터뷰를 마치고 이런저런 핑계로 편집을 미뤄두었다. 결과물이 언제 나오는지 문의하는 인터뷰이들도 있었다. 기한이 다가와 원고를 읽어 내려가다 보니 어느샌가 부담이 사라졌다. '이래서 이 작업을 시작했었지!' 평소 듣고 싶던 이야기였기에 여러 번 읽어도 지루하지 않았다. 명쾌한 정답이 아니라도, 인터뷰이들이 품고 있던 경험을 접하는 것으로도 적당한 해갈을 느낄 수 있었다.

한 인터뷰이가 기후정치클럽에서 정의하는 '기후정치'가 무엇인지 물었을 때 답하기가 퍽 난감했다. 고민해본 질문이었지만, 선뜻 말하기 어려웠다. 녹색정치, 기후 운동, 기후위기 대응 등 다양한 용어로 표현되는 '기후정치'를 '기후위기를 정치적으로 접근하려는 모든 움직임을 의미'한다고 거칠게 정리해 본다면, 정치라는 것을 어떻게 받아들이는지에 따라 생각하는 양상이 크게 달라질 수도 있다. 누군가에게는 탈석탄법 제정을 위해 국회 법제처를 몇 번씩 들락거려야 하는 법안 발의 과정이, 어떤 이에게는 3만여 명의 인파와 함께 도로를 가로지르는 행진이, 혹은 공주보 담수 철회를 요구하며 가슴께까지 차오르는 물속에서도 그치지 않는 외침이 '기후정치'의 모습일 것이다.

기후정치를 고민하는 사람들이 더 자주 만나야 한다는 전제에는 모든 인터뷰이가 공감했지만, 만남의 방법이나 온도에는 확실한 차이가 있었다. 정당의 이름으로 만난 인터뷰이들은 시간이 얼마 남지 않았음을 강조했다. 향후 몇 년 사이에 임계점을 놓치면 기후정치 세력화가 어렵다는 것이 공통의 입장이었다. 이에 반해 운동 단체의 이름으로 마주한 이들의 속도감은 달랐다. 체제전환을 이야기하면서도 그동안 드러나지 않은 가치를 만들어가는 데 집중했다. 인터뷰에 자주 등장하는 '탈정치화'의 태도도 보였다. 2024년 총선에 모든 세력이 함께 해야 한다는 급박한 목소리와 근본적인 체제전환의 상을 만드는 논의를 시작해 보자는 접근이 함께할 수 있을까.

그럼에도 다양한 '기후정치'가 만나야 한다는 공통의 전제를 확인한 것만으로도 의미가 있다고 생각한다. 원론적이고 진부한 말이겠지만, 이런 진부함이 차곡차곡 쌓여서 변화를 만든다고 믿는다. 대화와 만남이 풍성해지면 작은 단초가 생기지 않을까. 이 책을 읽은 분들이 그 단초를 함께 만들어 가길 바라며 글을 마무리한다.

'세상을 바꾸는 작은변화' 이 책은 아름다운재단 지원으로 제작하였습니다.

기후정치를 고민하는 히치하이커를 위한 안내서
기후정치 현장 인터뷰집

초판 1쇄 2023년 12월 20일
인터뷰참여 김보림 김서경 김영준 김혜미 벌새 서린 손솔 이현정 정록 황인철 희음
기획편집 기후정치클럽
글·기록 김범일 보코
디자인 JOOJOO
펴낸곳 쿠나디아
펴낸이 손소영
출판등록 제 2022-000036호
주 소 서울 영등포구 당산로29길 5, 동성빌딩 지하1층
전자우편 kounadia.book@gmail.com
전화번호 070-4146-0419
기후정치클럽 이메일 climatepolitics@gmail.com
ISBN 979-11-978156-2-1